图书馆精选文丛

李白

王瑶 著

Copyright © 2021 by SDX Joint Publishing Company.
All Rights Reserved.
本作品版权由生活·读书·新知三联书店所有。
未经许可，不得翻印。

图书在版编目（CIP）数据

李白 / 王瑶著 . —北京：生活·读书·新知三联书店，2021.1
（图书馆精选文丛）
ISBN 978-7-108-07010-4

Ⅰ.①李…　Ⅱ.①王…　Ⅲ.①李白（701-762）–传记　Ⅳ.① K825.6

中国版本图书馆 CIP 数据核字（2020）第 219435 号

责任编辑	卫　纯
装帧设计	刘　洋
责任印制	董　欢
出版发行	生活·讀書·新知 三联书店
	（北京市东城区美术馆东街 22 号 100010）
网　　址	www.sdxjpc.com
经　　销	新华书店
印　　刷	北京市松源印刷有限公司
版　　次	2021 年 1 月北京第 1 版
	2021 年 1 月北京第 1 次印刷
开　　本	880 毫米 × 1230 毫米　1/32　印张 4.75
印　　数	0,001- 6,000 册
定　　价	23.00 元

（印装查询：01064002715；邮购查询：01084010542）

写在前面

作为中国古代文学史上最著名的诗人,李白的生平、诗作,甚至传说,都是研究者、诗歌和文史爱好者津津乐道的话题。但在古代,李白的诗集整理——如和同等文学地位的杜甫相比——则情况并不见佳。宋代以来的几个本子不是"简陋殊甚",就是"尚多漏略";清代王琦重新"编次笺释",定《李太白诗集注》三十卷(《四库全书总目》),李白的诗集才有了较为成熟的定本。但直到20世纪50年代,李白的诗作也没有一部编年的集子出现;读者往往面对九百多首诗作却不能将它们和李白的生平联系起来。这对于一直把李诗视为中国历史文化璀璨明珠的国人来说,不能不说是个遗憾。

中国文学史家、北大中文系教授王瑶先生,试图用传记的方式弥补这个遗憾。在他于1954年写作的《李白》一书中,将李白的一生分为"蜀中生活"、"仗剑远游"、"长安三年"、"李杜交谊"、"十载漫游"、"从璘与释归"、"凄凉的暮年"七个阶段。在这些阶段中,王瑶将李白的生平、经历、交游、行迹与其诗歌揉为一体,用简洁晓畅的语言进行描述,使得读者既能对李白的生平脉络有明晰的了解,又能在此过程中,体会李白诗歌的艺术成就。书中所援引资料丰富翔实,文献资料之外,并以李白诗作为内证,可说这部李白诗传的最大特点是"以诗证史";而对诸多疑问,甚至尝试着进行辨析,如李白的家世与死亡,以及李白对杜甫的态度等,都大胆立论,自成一家之言。可以说,这本小书融汇了作者深厚的学养与功力,在短小的篇幅中浓缩了中国历史上最伟大的文学家诗酒人生的精华。

王瑶(1914—1989),字昭琛,山西平遥人,文学史家,上世纪30年代考入清华大学中文系。后考入清华研究院中国文学部,师从朱自清攻读和研究汉魏六朝等中古文学。1946年留校任教,从事古典文学、现代文学的研究。1952年由清华转至北大中文系任教授。主要著作有《中国新文学史稿》、《中古文学史论》、《陶渊明集编注》等,其中《中古文学史论》虽是作者在青年时代写就,却一直是学界推誉的中古文学研究名著;《中国新文学史稿》则是20世纪50年代初最早出版的新文学史,由此奠定其中国现代文学研究学科重要的开拓者和奠基者的学术史地位。其门下弟子孙玉石、钱理群、温儒敏、陈平原、赵园等,皆当下中国现代文学研究界的领军人物。

1954年,《李白》初版于华东人民出版社;1979年再版时作者做了一些校订。2000年《王瑶全集》在北京大学出版社出版时,编者又对《李白》一书进行了必要的校勘和版本考订,并出以编者注。本次三联书店出版该书,所据底本即为北京大学出版社全集版本,希望的就是好书和好版本得以继续流传。

生活·讀書·新知三联书店

目 录

人民热爱的诗人 …………………………………… 1

蜀中生活 …………………………………………… 8

仗剑远游 …………………………………………… 26

长安三年 …………………………………………… 47

李杜交谊 …………………………………………… 61

十载漫游 …………………………………………… 73

从璘与释归 ………………………………………… 93

凄凉的暮年 ………………………………………… 110

诗歌的艺术成就 …………………………………… 124

后记 ………………………………………………… 142

人民热爱的诗人

李白是我国伟大的诗人之一,他的诗篇和事迹长期地为人民所传诵,得到了广大人民的欢迎与爱戴。只要是读过唐诗的人,很少人不知道"黄河之水天上来"、"白发三千丈"、"蜀道之难难于上青天"这些名句的;像"床前看月光,疑是地上霜。举头望山月,低头思故乡"(《静夜思》);以及"众鸟高飞尽,孤云独去闲。相看两不厌,只有敬亭山"(《独坐敬亭山》)这一类的绝句小诗,更是流传得极为广泛的。这种情形也可以从关于他的事迹的传说中看出来,我们如果翻一下《方舆胜览》或《大清一统志》等书中关于地方名胜的记载,那关于李白的楼榭遗址的古迹,几乎布满了大半个中国。这固然是因为他游历的地方很多,"凡江、汉、荆、襄、吴、楚、巴、蜀,与夫秦、晋、齐、鲁山水名胜之区,亦何所不登眺"[1]。他诗中的一个重要主题就是对于祖国的壮丽山河的歌颂；祖国的很多重要地方，他都去过，也都有诗篇来歌咏。但这并不是最重要的原因，因为到过那些地方的或者作过诗的人也多得很，而后人特别尊重李白的遗迹游踪，用建筑来指明和保护，用诗文来题咏和记载，那就充分地说明了人民对这样一位诗人的景慕与爱戴，他们是以李白在他们那个地方流连过而引为光荣的。

关于李白的许多传说也说明了同样的道理。唐朝就有人说他是"太白星"托生，又说他是"岁星"落世，又说他腰间生有"傲骨"，不能屈身。这当然是由于他的"安能摧眉折腰事权贵，使我不得开心颜"这样的诗篇精神，以及他反庸俗的傲岸态度所引申出来的。他对皇帝自称是"偃蹇（倨傲的意思）臣"[2]，让当时为很多公卿大夫所巴结的太监高力士替他脱靴，这些都是人民所喜欢的。《醒世恒言》中有《李太白醉写吓蛮书》一篇（也收入《今古奇观》中），可以说就是集中了关于李白的事迹和传说而写出的，由此更增加了这些故事的普遍性。因为唐玄宗曾请他写过《答蕃书》，因此到由传说形成的小说里，《答蕃书》便变成《吓蛮书》了。又如根据前人记载，在我国著名画家所绘的图画作品中，以李白事迹为题材的也非常多，如《李白脱靴图》、《李白泛月图》等就是；从这一事实中，也可以看出后人对他的景慕来。此外，他的诗写得特别好，那当然是经过刻苦学习所致，因此不只各地有好些

"李白读书台"之类的古迹，而且也形成了一些传说。《方舆胜览》记李白在四川眉州象耳山读书，想要中途放弃，后来在山下小溪旁遇见一个姓武的老媪正在那里磨铁杵，李白问她干什么，回答是"要做针"。李白很感动，遂归山终业。那小溪因此被称为磨针溪。至今民间还有"铁杵磨成绣花针，功到自然成"的谣谚。《酉阳杂俎》记李白曾前后三拟《文选》，因为不如意，都烧了，只留下《恨赋》和《别赋》（今只存《拟恨赋》一篇）。这些就好像传说李白是"锦心绣口，明月肺肠"一样，都可以看作是对于他的刻苦钻研和艺术成就的一种歌颂。

李白"醉后水中捉月而死"的传说是最富于浪漫情调的，也是最能代表人民对于李白的怀念和向往的。王定保《唐摭言》中记载说："李白着宫锦袍，游采石江中，傲然自得，旁若无人，因醉，入水中捉月而死。"那地方还因此筑了一个"捉月台"。这当然不是事实，李白病剧时还把手集草稿交给了他的族叔李阳冰，赋《临终歌》才逝世的。但这个传说本身却是很能说明李白的性格的。李白本来爱漫游，"偶乘扁舟，一日千里，或遇胜境，终年不移"[3]的豪迈行为是常有的；另外他与崔宗之"尝月夜乘舟自采石达金陵，白衣宫锦袍，于舟中顾瞻笑傲，旁若无人"[4]，这个表示他的傲岸性格的故事也是为人所传诵的；他自己在诗中也曾说"解我紫绮裘，且换金陵酒"[5]，再加上他在诗中所常写的关于明月的歌颂，就自然会形成那个"捉月而死"的传说了。对于李白说来，明月是一种皎洁真率的象征。他自己的字是太白，他的妹妹叫月圆，他的孩子叫明月奴，叫玻璨，都是皎洁透明的象征。他说"欲上青天揽明月"，"永结无情游，相期邈云汉"；正因为他厌恶了社会上的污浊和庸俗，要求纯洁清新，才对明月有那么多的赞颂。乔仲常绘有《李白捉月图》，蔡珪题诗说："寒江觅得钓鱼船，月影江心月在天。世人不能容此老，画图常看水中仙。"正因为当时的社会不能容纳这样狂傲地蔑视礼法制度的人，像他自己所说"我本不弃世，世人自弃我"[6]，他才对"明月"（一种理想的寄托）寄托了那样多的深情。

类似这样的传说还有很多，酒店的牌子上写着"太白遗风"，戏里面有《太白醉酒》，甚至在和他没有什么关系的《打金枝》这一出戏中，郭子仪也在他的唱词里表白了李白曾经赏识过他的故事，而这些都是为人所常常传诵的。

这位诗人的性格是很卓特的。他不只会作诗，而且会论兵击剑，还曾为打抱不平杀过人。又善书法，黄山谷说他草书的风格"大类其诗"[7]。善饮酒是不用说的了，当时人就叫他"醉圣"；并且还会鼓琴，又健于谈论，当时人称赞他的谈论叫"李白粲花之论"[8]。据唐朝诗人魏万(即魏颢)的记载,说李白"眸子炯然,哆(大貌)如饿虎",崔宗之在《赠李十二》诗中也说他"双眸光照人";这样一位神采奕奕、两只大眼睛、傲岸豪迈的诗人,怀着满身的才能,但在社会上得不到应有的待遇和重视,而那些权贵们却又有哪一点长处能入得我们诗人的眼睛呢!因此他"谑浪赤墀青琐贤"[9],无情地嘲笑了这些人;而对于当时一种社会风习所加给人的束缚和羁绊,他感到很大的愤懑;因此他甚至有时憧憬于一种无拘束的世界。这种心情是可以理解的;历代人民就用他们的理解来创造了和丰富了许多关于李白的传说,这些传说尽管并不一定和实际的史实相符合,但它们却是与李白的主要精神相符合的。例如最为人所称道传诵的,就是他的使高力士脱靴和杨贵妃捧砚的故事;而这和他的"安能摧眉折腰事权贵,使我不得开心颜"的精神是完全一致的。苏轼《李太白碑阴记》说他"戏万乘若僚友,视俦列如草芥"。方孝孺《吊李白》中说他"脱靴力士只羞颜,捧砚杨妃劳玉指"。王穉登在《李翰林分体全集序》中曾赞美他说:"沉湎至尊之前,啸傲御座之侧;目中不知有开元天子,何况太真妃、高力士哉!"这些都说明了人民对他的热爱,也说明了人民之所以热爱他的原因。曹学佺《万县西山太白祠堂记》中对于这些传说曾加评论说:"事在有无,语类不经;人心爱之,夸诩为真。树若曾倚,其色敷荣；泉若曾酌，其声清泠。"这几句话是说得极其中肯的。正因为人民热爱他，才形成了一些关于他的美丽的传说；树木和泉水也好像都与他有关了，优美的山河也好像因为曾有过他的登临和题咏而更壮丽了。这都表示了历代人民对于我们伟大诗人的景慕和爱戴。

至于他的诗，那更是有定评的。韩愈说："李、杜文章在，光焰万丈长。"[10]自从中唐以后，李、杜的高下常常是历代文人们的话题，这就说明了他的诗的艺术已经达到了很高的成就，在中国文学史上只有屈原、杜甫等一两位第一流的作家才可以与他并论，而且也是具有各不相同的风格和特色的。当然，要了解这样一位古典作家和他的不朽的诗篇，仅仅依靠我们所熟悉的关于他的一些传说的知识是很不够的；那只能给我们一个轮廓的，但同时也是模糊的印象。我们应该更详细地了解他一生中的经历和遭遇，看他在生活中究竟有些什么事迹，他究竟是在什么样的情况下才创作了那些诗篇的。这将对我们了解他的作品和他的为人会有不少的帮助。

* * *

〔1〕刘楚登：《太白酒楼记》。
〔2〕《送岑征君归鸣皋山》。
〔3〕范传正：《唐左拾遗翰林学士李公新墓碑》。

〔4〕《旧唐书》本传。

〔5〕《金陵江上遇蓬池隐者》。

〔6〕《送蔡山人》。

〔7〕黄庭坚:《题李白诗草后》。

〔8〕见《天宝遗事》。

〔9〕《玉壶吟》。

〔10〕韩愈:《调张籍》。

蜀中生活

李白生于公元701年（唐长安元年），卒于公元762年（唐宝应元年），活了六十二岁。李白诞生的时候，唐朝还在武则天的统治下；他五岁的时候，唐中宗才复位；他十三岁时，唐玄宗开始当朝，以后就是所谓开元、天宝的全盛之日。一直到他五十四岁，唐代历史上发生了"安史之乱"的重大事件，玄宗奔蜀，次年唐肃宗即位于甘肃灵武，再过七年李白就死了。因此他一生中重要的活动，大体上都是在唐玄宗开元、天宝这四十多年当中的；这时期就是我们习惯上所说的盛唐，是唐代社会最繁荣富庶的时期。而且和这相应的也产生了高度的文化，唐代有名的大诗人王维、杜甫都出现在这一时期。杜甫《忆昔》诗说："忆昔开元全盛日，小邑犹藏万家室。稻米流脂粟米白，公私仓廪俱丰实。九州道路无豺虎，远行不劳吉日出。齐纨鲁缟车班班，男耕女桑不相失。"《旧唐书·玄宗本纪》也说开元末年"频岁丰稔，京师米斛不满二百"。这时唐朝统一已有一百年。由于隋末全国性的农民大起义的影响，利用农民战争取得了政权的唐朝统治者，为了巩固新的封建统治和恢复生产力，不能不在一定程度上执行一些减轻剥削的政策，这就给生产力的发展和社会经济的繁荣带来了有利的条件。又由于唐朝结束了自汉末以来四百年的混乱割据的局面，唐初四十年又积极对外发展，因此唐朝国势很强盛；疆域东、南到海，西至咸海，北到贝加尔湖和叶尼塞河上游，东北到外兴安岭以北和鄂霍次克海，西南到云南、广西，成为世界上一个很强大富庶的封建国家。到开元时代，社会上就形成了一种太平安定的景象，政治统一，经济繁荣；当时，除农业生产的发达以外，由于交通的方便和人民生活的需要，手工业和商业也有了相应的发展。长安在当时可以说是一个带有国际性质的大都市，聚集着许多亚洲国家的商人；这里也是当时中外文化交流的中心，亚洲各国为了吸取中国的先进文化，派遣子弟和僧人到长安来学习的很多，这对中国文化的发展也发生了一定的影响。这时，人民的眼界开阔了，他们富有一种青春奋发的情绪，因此他们的创造力也就蓬勃地发展起来了。当时的音乐、歌舞、绘画、工艺，都以新颖的风格蓬勃地发展起来。而作为唐代文化最丰富的表现的诗歌，在摆脱了六朝以来追求词藻声律的形式主义的束缚以后，也创造了新的真正能够反映那个时代的健康的作品。李白的诗歌，在这一方面是有杰出的贡献的。在他以前，虽然也有陈子昂、张九龄这些人发出过同样的要求，但作品既少，也没有发生应有的影响；而李白的主要作品，却以其清新豪放的风格，鲜明地反映了盛唐那个时代。

李白的少年时代是在四川度过的。西蜀在唐代是很富庶的地方，农业、手工业都有高度的发展，像蜀锦、大邑瓷器等都是远近驰名的。它虽然交通困难，周围有险峻的山川，但国内外的商人们仍然聚集得很多；成都在当时是除长安、洛阳以外的有名的大都市。另外，四川山明水秀，又是自然风景非常美丽的地方，像峨眉、青城这样的名胜，也对诗人的培育发生了相当好的影响。李白后来有许多的诗篇都表示了对蜀中的怀念，"朝忆相如台，夜梦子云宅"，"三春三月忆三巴"，他对四川一向是非常恋念的。

李白家世的详细情形我们不十分清楚。据李阳冰《草堂集序》及范传正《唐左拾遗翰林学士李公新墓碑》的记载，都说他的先世是陇西成纪人，晋时凉武昭王李暠的九世孙，和唐朝皇帝是同宗；隋末多难，流落到西域，改易姓名，到神龙初才回到西蜀广汉。他父亲名李客（大概因为是从外地来的，因此本地人才称他为李客，并不是本名），没有出仕过。李阳冰写序的时候，李白还在世；范传正是他的朋友范伦的儿子,按道理讲,这些记载应该都是可靠的。神龙是唐中宗复位时的年号,神龙元年(公元705年)李白已五岁,据此则他是五岁时才到了四川的。[1]李白对蜀中一直抱有很深的感情,我们可以认为他实际上的故乡就是四川。至于所谓陇西成纪,那是指李氏的郡望而言,并不是实际的籍贯,就好像姓王的自称琅琊临沂人一样。唐时重郡望,联宗之风很盛,李氏共十三望,而以陇西为第一;姓李的人都自称是汉李广之后,源出陇西。李白《上韩荆州书》中说"白陇西布衣",《赠张相镐》诗中说"本家陇西人,先为汉边将",都是就郡望说的,不能认为他的籍贯就是陇西。

至于他是否李暠之后,与唐朝皇帝是否同宗,历来也有各种不同的说法。其中怀疑的人主要是根据两点:第一是《新唐书·宗室世系表》里没有李白的一支;第二是就李白赠酬诗篇中所称的同宗诸人的辈分及称谓考查起来,矛盾甚多。——如就这些人与李白的关系来考查,李白的行辈似应在李暠后九世至十二世孙之间;当时以九世孙的辈分最高,因此也以称九世孙时为多。这些都可以作为怀疑的根据,但还不能根本解决问题:第一,《新唐书·宗室世系表》的那些记载就不一定靠得住;仅乾隆殿本《新唐书》所附考证已摘举其错误数十条,近人据唐人碑板遗文又继续有所考订。虽然这表是根据唐朝官书旧文写成的,但也并不是完全没有问题的。第二,李唐自己的先世就不是西凉李暠之后。陈寅恪先生考证李唐氏族的结果说:"据可信之材料,依常识之判断,李唐先世若非赵郡李氏之'破落户',即是赵郡李氏之'假冒牌'。至于有唐一代之官书,其纪述皇室渊源间亦保存原来真实之事迹,但其大部尽属后人讳饰夸诞之语。"[2]他考订李唐也是自改其赵郡的郡望为陇西,而伪托为西凉李暠的嫡裔的。因此李白即使与唐朝皇帝是同宗,也不是李暠的后裔。就他与唐朝皇室的关系说,他的世系既不列于属籍,则当然至少也不是皇室近支,而到那个时候,远支宗室的政治社会地位已与一般人无大差别了。《新唐书·宗室世系表》说:"唐有天下三百年,子孙蕃衍,可谓盛矣。其初皆有封爵,至其世远亲尽,则各随其人贤愚,遂与异姓之臣杂而仕宦,至或流落于民间,甚可叹也。"因为宗室已成了虚名,没有什么实际的权利,因此当时姓李的人自称是宗室的也很多,成了一种风气,统治者也并不加干涉。明杨慎《升庵全集·李姓非一条》中考证说:"盖唐人十三望之李,皆冒称宗室。既不封以禄位,惟虚名夸人,曰天潢仙派而已。唐帝亦乐其族姓之繁,不暇考其真伪也。"这在当时已成了一种社会风气,大家都不以为怪。例如令狐楚做了宰相以后,连姓胡的都改姓"令狐"了;温庭筠曾戏为词说:"自从元老登庸后,天下诸胡悉带令。"宰相犹如此,何况是皇帝呢?因此李白作诗留别徐王李延年也扳兄称弟,《寄上吴王诗》也说"小子忝枝叶,亦攀丹桂丛",这都是当时盛行联宗的一种习惯,或者说是"礼貌",并不能证明他的家世。譬如杜甫在《重送刘十弟判官诗》中,因为"刘"、"杜"古来是一姓,就也据此来称兄道弟了。而且据《唐会要》记载,天宝元年七月唐玄宗曾下诏将李暠后嗣的宗室都隶入宗正寺,编入属籍;而李白于公元743年(天宝二年)即入长安,此诏颁布不久,但并没有把他编入属籍。可知李白与唐朝皇室也是没有什么瓜葛的。由以上所述,至少可以说明一点,就是李白是否与皇帝同宗,对于李白的一生是没有什么关系或影响的。

但他的家的确不是四川的土著,而是由外地迁移去的。至于他来自什么地方,也就是李白的出生地点,李阳冰《草堂集序》说是条支,范传正《唐左拾遗翰林学士李公新墓碑》说是碎叶;据郭沫若同志《李白与杜甫》一书中考证,碎叶是属于"条支都督府"的一个城镇,即中央亚细亚伊克塞湖西北的碎叶城,条支是唐代"西域十六都督州府"之一,"皆属安西都护统摄",李白就出生在碎叶城(原苏联吉尔吉斯北部托克马克附近)。碎叶是当时中国的边疆城镇,唐玄奘《大唐西域记》称碎叶城为素叶水城,记云:"城周六七里,诸国商胡杂居也。土宜糜麦、蒲萄,林树稀疏。气序风寒,人衣毡褐。"碎叶是多民族杂居的地方,李白一家在碎叶的时候是"临易姓名"的,到四川后才复姓李。[3] 李白在《上安州裴长史书》中又说他"本家金陵,世为右姓",金陵当然是不可能的;因此《全唐文》于此篇下注云:"金陵或系金城之讹。"金城在今甘肃西部,唐时敦煌以西的地方即称西域;这里可能只是西域的泛指。总之,我们可以说他的家是在武后统治年间(神功或神龙),由他父亲从西北边疆一带迁移到四川去的。[4] 至于《旧唐书》说李白是山东人,他父亲做过任城县尉的记载,是完全靠不住的,那是本于杜甫的《苏端、薛复筵简薛华醉歌》中"近来海内为长句,汝与山东李白好"而来的;但杜诗只是指当时李白流寓的所在,并不是指他的籍贯。而且山东也不专指齐、鲁,而是与关西相对峙、泛指太行山以东的地方。

除了出生地点外,李白的童年和少年是在蜀中度过的,他自己也以蜀中人自称,说他"家本紫云山"[5];紫云山在四川绵阳县境,那时的绵州彰明县南四十里。《唐诗纪事》引东蜀杨天惠《彰明逸事》说,李白曾读书于蜀之匡山,"今大匡山犹有读书台,而清廉乡故居遗址尚在,废为寺,名陇西院"。因此我们可以认为李白是西蜀绵州彰明县的清廉乡人。唐时绵州又叫巴西,在汉时属广汉郡,因此有的记载说他是"客巴西"或"广汉人"的,其实都是一个地方。李白《悲清秋赋》说："余以鸟道计于故乡兮,不知去荆、吴之几千。"《上安州裴长史书》也说："见乡人〔司马〕相如大夸云梦之事,云楚有七泽,遂来观焉。"又《代寿山答孟少府移文书》说："近者逸人李白自峨眉而来。"可知他一贯都是自称为蜀人的。其实唐时别人也是这样看法。苏颋《荐西蜀人才疏》云:"赵蕤术数,李白文章。"项斯《经李白墓》诗说:"游魂应到蜀,小碣岂旌贤。"姚合《送李馀及第归蜀》诗说:"李白蜀道难,羞为无成归。"此外的记载还多,因此我们说他是四川人是没有错误的。

关于他的家世情形,因为李白诗文中谈及的地方绝少,因此我们只能根据已知的材料做一些推测,还很难作出确凿的论断。他父亲既是在李白出生后才移居蜀中的,那自然不是当地的土豪地主;而且又从来没有出仕过,自然也不是官僚。但他的家庭却非常豪富,李白《上安州裴长史书》中说:"曩昔东游维扬,不逾一年,散金三十余万。有落魄公子,悉皆济之。"这是指他二十五岁后初次由家出蜀、辞亲远游时的情形的,可见他家里是很有钱的。照这种情形推测,他的父亲李客可能是一个大商人。商人的流动性本来是比较大的,当时西北与长安的商业关系很密切,而成都与长安又都是货物常常交流聚集的地方。而且因为唐代与西域的交通商业很发达，西北经商的人也特别多。魏颢《李翰林集序》说李白"少任侠，手刃数人"，李白自己也说"托身白刃里，杀人红尘中"[6]；游侠之风在唐代很盛，本来就和商业的发达有关系，而西北一带人民的生活习惯，据陈寅恪先生的考证，本来是"融合胡、汉为一体，文武不殊途"[7]的。这种"文武不殊途"的情形在李白的少年时代已经养成，他自己说"十五好剑术"[8]；又说"十五观奇书，作赋凌相如"[9]，像这样的教育不能不说是和他的家庭环境有相当的关系。李白的草《答蕃书》也恐怕和他父亲久居西北，他或者也通晓西域文字有关；因为西北一带民族杂处，风俗习惯已在互相影响了。由西北迁居到四川，而又那样有钱，那恐怕只有商人才有可能。这种家庭出身对于李白性格的形成，是有一定影响的。

从五岁到十五岁，是李白在家里读书学剑的时期，教他的大概就是他的父亲。他曾说："余小时，大人令诵《子虚赋》，私心慕之。"[10]又说："五岁诵六甲，十岁观百家。"[11]"六甲"是计算年月日的六十甲子，"百家"是诸子百家的各类杂书；他涉猎的范围很广，所谓"轩辕以来，颇得闻矣"[12]。到十五岁时，就开始学剑术和学写文章了；据王琦的考证，现在李集中的《明堂赋》就是他十五岁时所作。[13]从他诗文中所引的词章典故看来，他读的书的确是很多的；除中国的经子古籍外，也包括佛经、道书等等。而就他生平的经历看来，这种"开口成文，挥翰霞散"的基础，主要还是由二十岁以前的少年时期苦学得来的。击剑的技术也是在这时期学的；他生平常常把剑带在身边，遇着酒酣或有感慨时，就抚剑扬眉，起舞或吟啸，来寄托他的抱负。崔宗之说他"袖有匕首剑"[14]，他自己说"高冠佩雄剑"[15]，"锦带横龙泉（剑名）"[16]，又说"醉来脱宝剑，旅憩高堂眠"[17]，可知剑是常常佩在他身边的。崔宗之说他"起舞拂长剑，四座皆扬眉"，他自己也说"抚剑夜吟啸，雄心日千里"[18]，"长剑一杯酒，男儿方寸心"[19]。剑是他的武器，也是他的壮志的象征，悲愤情绪的寄托。"三杯拂剑舞秋月，忽然高咏涕泗涟"[20]，"抽剑步霜月，夜行空庭遍"[21]，他一生几乎和剑没有分离过，他对剑是十分有感情的。从这里也可以了解他的"剑术"大概是很不错的，而这也是在少年时期就学习了的。

在二十岁以前，他曾和一位隐士东严子共同隐在岷山，就是现在成都附近的青城山，一连住了几年都没有进城市。在山中他还养了好些奇异的禽鸟，他自己说这些鸟都被他训练得一叫就能到手掌里来吃东西；广汉太守还特地来参观过，并因此荐举他们二人出仕，但被拒绝了。明杨慎《李诗选题辞》，以为东严子就是当时著名的隐士梓州人赵蕤。李白后来有《淮南卧病书怀，寄蜀中赵征君蕤》诗，其中说"故人不可见，幽梦谁与适"，可知他们的交情是很深的。这几年的隐居生活对于李白来说,大概主要的事情仍然是读书学习。

到二十岁的时候,他开始了一些社会活动。刘全白《唐故翰林学士李君碣记》中所谓"性倜傥,好纵横术;善赋诗,才调逸迈"等,就是记的这时候的情形。那时尚书苏颋到成都来做益州长史,苏颋在当时是颇有文名的,李白就在路上向他请见。苏颋曾对他的僚属称赞李白说:"此子天才英丽,下笔不休,虽风力未成,且见专车之骨;若广之以学,可以相如比肩也。"[22]大概他少年时已经写过好些作品,虽然现在留传下来的并不多。又据《唐诗纪事》引东蜀杨天惠《彰明逸事》记载,有一次李白从彰明县令观水涨情形,有一女子溺死在江上,那个县令看见后便"苦吟"起诗来了:"二八谁家女,飘来倚岸芦。鸟窥眉上翠,鱼弄口旁朱。"李白即应声续之说:"绿发随波散,红颜逐浪无。何因逢伍相?应是怨秋胡。"县令很不高兴,李白恐,遂离去。看来他是很不满意这种歌咏"翠眉"、"朱口"的昏庸县令的。这是李白对当时官僚们感到不满意的开始,他是看不惯这种不合理的事情的。

二十岁以后,他开始在蜀境以内游览。他在成都登过散花楼,有《登锦城散花楼》诗:

日照锦城头,朝光散花楼。金窗夹绣户,珠箔悬琼钩。飞梯绿云中,极目散我忧。暮雨向三峡,春江绕双流。今来一登望,如上九天游。

祖国的名胜给他一种优美壮丽的感觉,他的胸襟开阔了,诗的技巧也进步了。此外他还游历过峨眉山,"蜀国多仙山,峨眉邈难匹。周流试登览,绝怪安可悉"[23]。听过峨眉山上的蜀僧弹琴:"蜀僧抱绿绮(琴名),西下峨眉峰。为我一挥手,如听万壑松。客心洗流水,遗响入霜钟。不觉碧山暮,秋云暗几重。"[24]我们知道李白是会弹琴的,他自己在诗中常常提到,如"横琴倚高松,把酒望远山"[25];"手舞石上月,膝横花间琴"[26];"功业若梦里,抚琴发长嗟"[27]。特别是在对月与独酌的时候,常常是同时也抚弦弄琴的。他的朋友崔宗之曾送过他一张"孔子琴",崔宗之死后,他抚之潸然,作诗感旧。他对琴的爱好与学习,也许就是从少年时期在峨眉山听到蜀僧弹琴时开始的。他平生很喜爱音乐,除弹琴外,也会歌与舞。他不只写的歌诗很多,而且自己也是会唱的。"与君歌一曲,请君为我倾耳听";"一笑复一歌,不知夕景昏",而且常常歌舞起来。"我歌月徘徊,我舞影凌乱";"歌声送落日,舞影回清池";因此杜甫赠他诗说"痛饮狂歌空度日"[28]。他对歌舞

的爱好大概是在早年就养成了的。在游峨眉时他还写过有名的《峨眉山月歌》:

> 峨眉山月半轮秋,影入平羌江水流。夜发清溪向三峡,思君不见下渝州。

这是为人传诵的一首七言绝句,二十八字中有五个地名,但读起来仍很自然,可见这时他作诗的锤炼功夫已经很深了。我们讲过,李白认为月亮是一种清新皎洁的象征;他从年幼时就很爱月,诗中提到月亮的地方也特别多。他说:"小时不识月,呼作白玉盘。又疑瑶台镜,飞在青云端。"[29]而峨眉山的月给他的印象更深,他后来在武昌作的《峨眉山月歌送蜀僧晏入中京》诗中说:"我在巴东三峡时,西看明月忆峨眉。月出峨眉照沧海,与人万里长相随。"因此以后每当他看见明月时,就不禁会有一种思念故乡的感情。他把月亮当作一种理想的寄托,在那里是没有一点污浊和黑暗的;这种情绪在《把酒问月》一诗中表现得最清楚:

> 青天有月来几时?我今停杯一问之!人攀明月不可得,月行却与人相随。皎如飞镜临丹阙,绿烟灭尽清辉

发。但见宵从海上来,宁知晓向云间没!白兔捣药秋复春,嫦娥孤栖与谁邻?今人不见古时月,今月曾经照古人。古人今人若流水,共看明月皆如此。惟愿当歌对酒时,月光长照金樽里。

他想"攀"明月,是为了明月的"皎"和"清";他就运用关于月亮的神话来驰骋他的想象,他爱好这样一个皎洁清新的世界。而峨眉的秀丽的山景,大概把明月映托得格外清皎,因此他的印象也就格外深了。

除峨眉外,他还到过戴天山,有《访戴天山道士不遇》诗:"犬吠水声中,桃花带雨浓。树深时见鹿,溪午不闻钟。野竹分青霭,飞泉挂碧峰。无人知所去,愁倚两三松。"诗中细腻地写出了幽美寂静的山林景色。他还登过巫山最高峰,有《自巴东舟行经瞿塘峡,登巫山最高峰,晚还题壁》诗。"江行几千里,海月十五圆",这时他已经将蜀中的名胜都游览遍了;他说"巴国尽所历",又说"历览幽意多"。这种游历使他饱览了四川的优美壮丽的自然景色,也使他多接触了各地的社会生活。这对他眼界的开阔和他豪放自然的诗歌风格的形成都是有关系的;唐朝诗人皮日休说他"五岳为辞锋,四海作胸臆"[30],这种风格的形成虽然和他的一生经历都有关系，但少年时的蜀中生活已经为此培植好了根基。他后来写的著名诗篇《蜀道难》中有好些关于四川形势的奇险壮美的描写，这种奇险壮美的感觉也影响到了他的诗歌的艺术风格。

他对于四川的故乡是怀有浓厚的感情的；而这种感情与思念家庭的关系并不大；主要的还是怀念蜀中的优美的自然景色。他自从二十五岁出蜀以后，就没有再回去过，现存的作品绝大部分都是离蜀后所作的。但其中除曾说过一句他少年时的"辞亲远游"以外，就再没有任何思亲的句子；可能在他出蜀后不久他的父母就逝世了。集中所称的兄弟等也都是同族的从兄弟，只有晚年在浔阳狱中所写的《万愤词投魏郎中》里提到"兄九江兮弟三峡"，似乎是亲兄弟；但即使是亲兄弟的话，也都已流落他方，不在彰明故乡了。据《唐诗纪事》引《彰明逸事》说，李白只有一个妹妹月圆嫁在本县，县中有她的坟墓。他自己是出蜀后才结婚的，妻子根本没有到过四川；那么他留在蜀中的亲属也仅有一个已经出阁的妹妹，但诗中也并没有怀念她的文字。那么他究竟怀念蜀中的一些什么呢？《郢门秋怀》诗中说："郢门一为客，巴月三成弦。朔风正摇落，行子愁归旋。"《江西送友人之罗浮》诗中说："尔去之罗浮，我还憩峨眉。"《淮南卧病书怀，寄蜀中赵征君蕤》诗中说："国门遥天外，乡路远山隔。朝忆相如台，夜梦子云宅。"有名的《宣城见杜鹃花》一诗说：

> 蜀国曾闻子规鸟，宣城还见杜鹃花。一叫一回肠一断，三春三月忆三巴。

他最怀念蜀中的是峨眉、山月、子规鸟、杜鹃花、司马相如台、扬雄故宅，而并不是家里的什么人或产业。从这里可以看出"巴国尽所历"这一段少年时的游览生活对于他的重要性：四川锦绣壮美的山河初步地培养了他的壮阔的胸怀，形成了他自然豪放的诗歌风格。

他在二十五岁的时候（公元725年），为了找寻机会来发展自己的抱负和才能，就离开了他所喜爱的四川。他说："故知大丈夫必有四方之志，乃仗剑去国，辞亲远游。"[31]他是先由三峡到湖北的，在途中他写了《荆门浮舟望蜀江》的诗，"正是桃花流，依然锦江色"；"逶迤巴山尽，摇曳楚云行"；他不胜依恋地离别了四川的山水，走上了漫游的长途。他的著名七绝《早发白帝城》就是在这次出蜀途中离开白帝城（在今四川奉节）到江陵时所作的：

> 朝辞白帝彩云间，千里江陵一日还。两岸猿声啼不尽，轻舟已过万重山。

在李白那个时代，向下游行驶的轻舟是当时所可能有的最快的交通工具，清晨还在四川奉节，晚上已到江陵，一日千里，沿岸的景也都无暇迎接和欣赏，就已经穿过三峡天险了。从此，他就离开了他的家乡，开始了初期的漫游生活。

* * *

〔1〕魏颢《李翰林集序》中说李白"因家于绵，身既生蜀"；据此则李白应该生在蜀中，与李阳冰、范传正所记载的"神龙初"不同。因此有人疑"神龙"是"神功"之误，"神功初"是武后当朝的第十四年（公元697年），在李白出生的前四年；魏颢虽与李白交往很深，但"神功初"的说法并无准确可靠的证据。我们只能说李白幼年从五岁起是在蜀中度过的。

〔2〕〔7〕陈寅恪：《唐代政治史述论稿》，三联书店1956年版。

〔3〕本段文字中从"至于他来自什么地方"至"到四川后才复姓李"，系1959年新版作者根据郭沫若《李白与杜甫》一书中的考证重写的，与上海人民出版社1954年9月初版本不同。初版本这一段文字是："不过记载中所说的西域的两个地名'碎叶'和'条支'，在隋末都不属于中国的势力范围，不可能成为窜谪罪犯的地方。而且李阳冰《草堂集序》说是逃归蜀中后才'复指李树而生柏阳'的，范传正《李公新墓碑》又说'公之生也，先府君指天枝以复姓'。因此他的家世情形是很不清楚的。"——编者注。

〔4〕"由他父亲从西北边疆一带迁移到四川去的"一句，上海人民

出版社1954年9月初版本为"由他父亲从西北甘肃新疆一带迁移到四川去的"。——编者注。

〔5〕《题嵩山逸人元丹丘山居》。

〔6〕《赠从兄襄阳少府皓》。

〔8〕《与韩荆州书》。

〔9〕〔18〕《赠张相镐》其二。

〔10〕《秋于敬亭山送从侄耑游庐山序》。

〔11〕〔12〕〔22〕〔31〕《上安州裴长史书》。

〔13〕见《李太白年谱》开元三年下注。

〔14〕崔宗之:《赠李十二》。

〔15〕《忆襄阳旧游赠马少府巨》。

〔16〕《留别广陵诸公》。

〔17〕《冬夜醉宿龙门觉起言志》。

〔19〕《赠崔侍御》。

〔20〕《玉壶吟》。

〔21〕《江夏寄汉阳辅录事》。

〔23〕《登峨眉山》。

〔24〕《听蜀僧浚弹琴》。

〔25〕《春日独酌》其二。

〔26〕《独酌》。

〔27〕《早秋赠裴十七仲堪》。

〔28〕杜甫:《赠李白》。

〔29〕《古朗月行》。

〔30〕皮日休:《七爱诗》之一,《李翰林》。

仗剑远游

李白在《上安州裴长史书》中说:"以为士生则桑弧蓬矢,射乎四方,故知大丈夫必有四方之志,乃仗剑去国,辞亲远游。"就在二十五岁的时候,他怀着很大的抱负,离蜀出游了。他对自己的才能向来是很自负的,他曾说:"怀经济之才,抗巢、由之节。文可以变风俗,学可以究天人,一命不沾,四海称屈。"[1]又说:"虽长不满七尺,而心雄万夫。"[2]为了要给自己的才能找寻一个适当的施展机会,为了事业心的驱使,他开始了漫游的生活。刘全白《李君碣记》说他"不求小官,以当世之务自负",这是的确的;他不只是拒绝了广汉太守的引荐,就连唐朝一般读书人所热烈追求的进士考试,他也从来没有想到要参加。他想的只是"投竿佐皇极"[3],"奋其智能,愿为辅弼"[4],"出则以平交王侯"[5],像谢安似的"起来为苍生"[6],"使寰区大定,海县清一"[7],以后,就"功成拂衣去,摇曳沧州旁"[8]。这种"以当世之务自负",想一举而至卿相,"相与济苍生"[9]的思想,虽然看起来有些夸诞,但它的产生并不是没有原因的。一方面是盛唐富庶安定的社会环境培养了青年人对事业前途的强烈追求的愿望,一方面是他对自己才能的高度自负。他所见到的一般官吏都很庸俗,他以为一个富有才能的人是应当并且也一定能够得到别人的尊重和施展才能的机会的。他常常以大鹏良骥自况,作有《大鹏赋》。他在诗中也说:"大鹏一日同风起,扶摇直上九万里。假令风歇时下来,犹能簸却沧溟水"[10],"骅骝本天马,素非伏枥驹。长嘶向清风,倏忽凌九区"[11]。他的朋友范伦的儿子范传正写的《唐左拾遗翰林学士李公新墓碑》开头就以"骐骥筋力成,意在万里外"和"大鹏羽翼张,势欲摩穹昊"来譬喻他的才能,这是很了解他的抱负的。这种带有一点浪漫气息的少年人的情怀,使他在开始漫游时所抱的理想很高,也认为事情很容易;"不屈己,不干人"[12],只要以自己的才能在社会上树立声誉,就可以有机会得到成功。抱着这样的大志,他带了很多钱,离开了家乡,出三峡而到襄阳。

"任侠"是李白诗歌和性格中的一个重要部分,特别是在开始漫游的这一时期,他的豪放的性格和任侠的行为是表现得更其突出的;他很不像一个普通的文士。他当然也读书作文,而且很多、很好,但他曾明说过:"鲁叟谈五经,白发死章句。问以经济策,茫如坠烟雾。"[14]甚至还说"《凤》歌笑孔丘"[14],他是不肯接受传统的经典书籍的限制的。他作诗也不肯如当时一般文人那样"拘于声律俳优",而且说:"梁、陈以来,艳薄斯极,沈休文(沈约)又尚之以声律,将复古道,非我而谁?"[15]总之,在一切方面,他都不肯受一点封建社会既成规法的拘束,要求创造;因此就感到"儒生不及游侠人,白首下帷复何益"[16]了。他所钦佩的古人也多半不是什么诗人或学者,而是鲁仲连、诸葛亮、谢安一类为国家建立奇勋的人物。《赠何七判官昌浩》一诗中说:"有时忽惆怅,匡坐至夜分。平明空啸咤,思欲解世纷。心随长风去,吹散万里云。羞作济南生,九十诵古文。不然拂剑起,沙漠收奇勋。老死阡陌间,何因扬清芬!"他觉得自己的才能是应该得到很好的施展机会的,"抚剑夜吟啸,雄心日千里",他不愿受任何妨碍他向前发展的压力和拘束。就这种富有理想和创造的精神说,确乎是表现了盛唐那个社会经济繁荣富庶的时代的。就这样,他仗剑出游了,首先到了湖北的襄阳。

在襄阳,李白大概流连了一个短时期,《襄阳曲》和《襄阳歌》,就是这时写的。后来他回忆说:"昔为大堤(在襄阳城外)客,曾上山公楼(晋时山简作襄阳太守的遗迹)。开窗碧嶂满,拂镜沧江流。"[17]他对名胜区域都是尽情游览的。这时他已很能饮酒了,《襄阳歌》中说:"清风朗月不用一钱买,玉山自倒非人推。舒州杓,力士铛,李白与尔同死生。"他在湖北安陆住的时期最长,他自己曾说是"酒隐安陆,蹉跎十年"[18],可见在漫游时期,他已经很爱饮酒了。但这时的饮酒与后期的"愁多酒虽少,酒倾愁不来"[19]的情形不同;倒是"酒酣益爽气,为乐不知秋"[20]的。他这时生活很豪纵,对前途充满了乐观进取的精神:[21]"黄金白璧买歌笑,一醉累月轻王侯。"[22]他在醉后可以毫无忌惮地表现他的傲岸的态度,这种"轻王侯"的想法实在是他当时的真实感情。因此他这时的饮酒是和任侠的行为不可分的,都是一种豪放情绪的表现,[23]与离开长安以后的晚年情形有所不同。他在襄阳流连了一个短时期以后,就至荆门,到武汉。《秋下荆门》诗说"霜落荆门江树空,布帆无恙挂秋风",大概是秋末由汉水坐船走的。以后又泛洞庭湖,"南穷苍梧",游历各地的著名山川。这时和他同行的是一位蜀中友人吴指南,在洞庭时吴指南病死了,他很伤心;他自己记载这事说:"白禫服恸哭,若丧天伦。炎月伏尸,泣尽继之以血。行路闻者,悉皆伤心。猛虎前临,坚守不动。"[24]他暂时把尸体埋在湖边,就又游历去了。后来过了许久,又去看吴指南的尸体寄埋的地方,那时尸体的筋肉还没有全腐烂,他就亲自用刀子洗削完毕,把尸骨正式安葬在鄂城(今武昌)之东;可见他对朋友是很讲义气的。他曾"东涉溟海",游扬州等地,不到一年,"散金三十余万",都救济了所谓"落魄公子"[25],大概都是一些怀才不遇的人,李白对他们是很同情的。他在《赠友人》诗中说:"人生贵相知,何必金与钱!""黄金逐手快意尽,昨日破产今朝贫"[26],"归家酒债多,门客粲成行"[27],他饮酒挥霍,都是为了结交豪侠的知心朋友。他曾说"结发未识事,所交尽豪雄"[28];他少年时期的朋友大概尽是豪侠一流人,而这是必须要轻财重义的。魏颢《李翰林集序》还说他曾"手刃数人",原因大概也是为了打抱不平;他曾说"感君恩重许君命,太山一掷轻鸿毛"[29]。任侠的风气在唐代很流行,像李白在《侠客行》中所说的,"纵死侠骨香,不惭世上英。谁能书阁下,白首《太玄经》(扬雄故事)"。他诗中歌咏任侠的内容很多,如《东海有勇妇》、《侠客行》等,因为他自己就是"少任侠"的。这当然和他幼年时关于剑术的训练有关系,而在远地漫游时生活上也有结交知心朋友的需要;何况他本来就在找寻知音和正在企图建立声誉呢!

从离开四川以后,大约游历了有三年的光景,到二十七岁时,他到了湖北的安陆。这里是司马相如在《子虚赋》中所艳称的云梦泽所在的地方。他说:"见乡人相如大夸云梦之事,云楚有七泽,遂来观焉。"[30]到了这里以后,他就和以前在唐高宗时当过宰相的许圉师的孙女结了婚,暂时定居在安陆。他的妻子也是一个很有才情的女人,《柳亭诗话》记载李白曾作《长相思》乐府,最后的句子是"不信妾肠断,归来看取明镜前"。他妻子看后说,武后的诗中已有"不信比来常下泪,开箱验取石榴裙"的句子,李白爽然自失。可知他妻子也是读书很多的。李白《赠内》一诗说:"三百六十日,日日醉如泥。虽为李白妇,何异太常妻(后汉周泽的故事)。"大概就是婚后与妻子戏谑的一首诗。此后从二十七岁到三十五岁(公元727—735年)将近十年的期间,他虽然也仍然在各地漫游,但大体上是经常地定居在安陆这个地方的,这就是所谓"酒隐安陆,蹉跎十年"的时期。在安陆他大概是颇为建立了一点社会声誉的,结婚一事就可以说明。他又说那里的郡督马某曾许他为奇才,对别人称赞说:"诸人之文,犹山无烟霞,春无草树;李白之文,清雄奔放,名章俊语,络绎间起,光明洞彻,句句动人。"[31]可见他仍是以他的文章来树立声誉的。而且因为走的地方多了,看到了许多壮丽的景色和新奇的事物,接触到一些社会上实际的遭遇,眼界开阔了,生活经验多了,自然对于诗歌的创作也增添了丰富多彩的内容。盛唐诗的一个主要特点就是充满了一种浪漫豪放的风格,而其具体表现的一方面,就是对于任侠和求仙的向往和赞颂。这当然是唐代几十年来社会富庶和商业交通发达的结果[32]，而李白的诗就是这种时代的精神风貌比较集中的反映，可以说是盛唐诗歌的代表。在他三十岁前后的漫游时期，他的诗歌风格可以说已经完全成熟了。他在江陵时遇到隐士司马承祯，司马承祯曾说他有"仙风道骨"[33]，他又和道教中人胡紫阳、元丹丘等来往过，诗集中也有许多关于游仙学道的诗。如《怀仙歌》说："尧、舜之事不足惊，自余嚣嚣直可轻。巨鳌莫载三山去，我欲蓬莱顶上行。"因此他倜傥不羁，看不起尧、舜，有时也菲薄孔子。这可以说是他歌咏求仙[34]的主要原因。当然，求仙访道之中也含有一些迷信的成分，但道教可以说是唐代的国教，是统治者所提倡的，在社会上的影响很大；当时许多人都和道教有一点瓜葛，这是不足怪的。而就李白来说，求仙访道也是他进行社会活动的一种手段。这些歌咏求仙的诗当然并不是李白诗篇中的主要部分，而且是比较消极的部分，但即使在这些诗篇中，逃避现实与幻想未来的成分也是很稀薄的；因此若就求仙的积极方面的意义说，那和任侠的原因是一致的，二者都表现了一种豪纵浪漫的生活内容和对于一种自由自在的生活的期望。

　　他在三十岁的时候，曾积极地进行了一些希望当时要人们给他援引的活动；他希望能建立更大的声誉，得到一个施展自己才能的机会。"高冠佩雄剑,长揖韩荆州"[35],当时的荆州长史韩朝宗以能"识拔后进"在士流中享有盛名,李白在《与韩荆州书》中说:"所以龙盘凤逸之士,皆欲收名定价于君侯。"他在这封信中说明自己的经历和才能,愿意呈献自己的诗文。他说:"三千宾中有毛遂,使白得颖脱而出,即其人焉。"他希望韩朝宗能像战国时平原君的提拔毛遂一样,使他"扬眉吐气,激昂青云"。可以想见,这当然是没有结果的。这期间他还有《上安州裴长史书》,也是陈述自己的经历才能和轻财重义的美德的。书中叙述他已经和裴长史见过八九次,但"谤言忽生,众口攒毁",他觉得很冤屈,希望再见一次。最后说:"若赫然作威,加以大怒,不许门下,逐之长途,白即膝行于前,再拜而去。……何王公大人之门不可以弹长剑乎!"同时期又有解释他醉后失礼、希求原宥的《上安州李长史书》,其中说:"白孤剑谁托,悲歌自怜。迫于栖惶,席不暇暖。寄绝国而何仰,若浮云而无依。南徙莫从,北游失路。"又说:"何图叔夜(嵇康)潦倒,不切于事情;正平(祢衡)猖狂,自贻于耻辱。"最后是请求原宥,并送上了他的一些作品。这些裴长史、李长史之流都是当时的州佐官吏,详细情形虽不清楚,但并不是当时最显赫的人物;可是他们在地方上骄纵凌人的气焰已经很可观了,使诗人唯恐受到他们的迫害,进退维谷,哪里还能谈得到使他"扬眉吐气"呢！宋洪迈在《容斋四笔》中曾为此叹息说："大贤不偶，神龙困于蝼蚁，可胜叹哉！"可以看到，他在为自己树立声名、希望得到别人援引的活动中，一方面固然碰到了许多挫折，弄得"悲歌自怜"，"若浮云而无依"；但另一方面也使他认识到这些官吏的面目并不比蜀中的那些稍微好一点点，他们是同样的庸俗和可憎。这时期他也常常到周围一带的名胜区域栖息小住，《山中问答》诗云："问余何意栖碧山，笑而不答心自闲。桃花流水窅然去，别有天地非人间！"碧山即在安陆境内，今碧山上尚有桃花岩名胜，桃林小溪，宛然在目；《安陆县志》称之为"谪仙桃岩"。又在今安陆与应山二县间有寿山，李白在《代寿山答孟少府移文书》中说他乃"虬蟠龟息，遁乎此山"；由文中看来，他在寿山也是住过一个时期的。《代寿山答孟少府移文书》是一篇用戏谑的答辩口气来说明自己的志向和做人态度的文字，他借用寿山的口气来回答扬州的孟少府，其中说："昨于山人李白处，见吾子移文。责仆以多奇，鄙仆以特秀，而盛谈三山五岳之美；谓仆小山，无名无德而称焉。观乎斯言，何太谬之甚也！吾子岂不闻乎？无名为天地之始，有名为万物之母。假令登封禋祀，曷足以大道讥耶？然能损人费物，庖杀致祭，暴殄草木，镌刻金石，使载图典，亦未足为贵乎！"这里李白当然是以寿山自况的，"多奇"和"特秀"是不入别人眼中的，因此他不如那些庸俗官吏们有盛名，但那些"损人费物"的盛名又有什么可贵呢？因此诗人傲岸地答道："何太谬之甚也！"下面他说明自己"不屈己，不干人"的品德，和"使寰区大定，海县清一"的志向；他并没有让现实消磨掉他的远大的抱负。他虽然受到了这些官吏们的压迫和歧视，但他从心里鄙视他们；他知道那些官吏和他不是一种人。"珠玉买歌笑，糟糠养贤才"[36]，他感到了一种有才能的人得不到应有重视的不平和孤寂；"弹剑徒激昂，出门悲路穷"[37]，他对现实怀有了浓厚的不满情绪。后来他回忆这段生活时说："少年落魄楚、汉间，风尘萧瑟多苦颜。自言管、葛（管仲、诸葛亮）竟谁许？长吁莫错还闭关！"[38]他在长期的漫游中是受到了不少的挫折和歧视的。

他住在安陆期间，仍然是常到各处漫游的；不过以安陆为中心，有一个比较固定的居处罢了。这期间他在湖北认识了当时的著名诗人孟浩然，孟浩然比他大十一岁，这时已经归隐了，过着饮酒作诗的生活。李白的《赠孟浩然》一诗说："吾爱孟夫子，风流天下闻。红颜弃轩冕，白首卧松云。醉月频中圣，迷花不事君。高山安可仰，徒此揖清芬！"他对孟浩然的退隐饮酒的行为是很钦佩的。唐代诗人中和李白有过交谊的人并不多，只有孟浩然、王昌龄、杜甫、贾至等几个人；和他同时代的大诗人王维，我们就找不出关于他们之间的交游的记载来;而受到李白赞誉的人尤其少。孟浩然的志趣和当时李白的所谓"少年不得意,落魄无安居,……当时饮酒逐风景,壮心遂与功名疏"[39]的心境是很相投合的,因此就得到他的爱慕了。李白的《黄鹤楼送孟浩然之广陵》一诗说:"故人西辞黄鹤楼,烟花三月下扬州。孤帆远影碧空尽,惟见长江天际流。"这首七绝是很著名的,陆放翁在《入蜀记》中曾称赞这首诗描写帆樯照映远山的入微,说是"非江行久不能知也"。另外他还有一首《春日归山寄孟浩然》诗,他们的交谊是很亲密的。

大概在他三十五岁的时候,他离开安陆,北游到山西的太原。《忆旧游寄谯郡元参军》诗中说:"君家严君(父亲)勇貔虎,作尹并州(太原)遏戎虏。五月相呼渡太行,摧轮不道羊肠苦";"海内贤豪青云客,就中与君心莫逆"。从诗中看来,元参军和他是很要好的朋友,他们曾在一处游历过多时,这次他就是和元参军一起经太行山到山西的。元参军的父亲大概是在山西守边防的武官,他去太原就是在元家做客的;"琼杯绮食青玉案,使我醉饱无归心",主人的招待是很殷勤的。他在太原就畅游周围的名胜:"时时出向城西曲,晋祠流水如碧玉。浮舟弄水箫鼓鸣,微波龙鳞莎草绿";后来他回忆说"此时欢乐难再遇",这一段时间在他的漫游生活中是很畅快的。就在太原,他认识了唐朝后来的名将郭子仪;郭子仪那时还是一个小兵,因为犯了过失,要受责罚,李白看见他很有才能,就替他说情给免罪了。据说后来李白因从永王璘获罪,那时郭子仪已经是中兴名将,曾经出力解救过李白。从这个故事中也可以看出李白平常是很看重人才的。他是夏天到太原的,大概到秋天就离开了。《太原早秋》诗说:

> 岁落众芳歇,时当大火流。霜威出塞早,云色渡河秋。梦绕边城月,心飞故国楼。思归若汾水,无日不悠悠。

此后不久就离开太原了。

接着他就东游齐鲁,最常住的地方是任城和沙邱(今山东的济宁和掖县),而且他就在沙邱安了家。他后来的《寄东鲁二稚子》诗说:

> 我家寄东鲁,谁种龟阴田?春事已不及,江行复茫然。南风吹归心,飞堕酒楼前。楼东一株桃,枝叶拂青烟。此树我所种,别来向三年。桃今与楼齐,我行尚未旋。

由他别后三年而所种的桃树已经有楼一般高的情形来看,他在山东住的时间是相当长的。"我家寄在沙邱旁,三月不归空断肠"〔40〕,他大概从这时起就居住在沙邱了。这时他和孔巢父、韩準、裴政、张叔明、陶沔五人共同隐居在泰山南边的徂徕山,常常一块饮酒酣歌,当时人称为"竹溪六逸"。他在《送韩準、裴政、孔巢父还山》一诗中,翔实地描述了他们之间的隐居生活与志趣:

> 猎客张兔罝,不能挂龙虎。所以青云人,高卧在岩户。韩生信英彦,裴子含清真。孔侯复秀出,俱与云霞亲。峻节凌远松,同衾卧盘石。斧冰漱寒泉,三子同二屐。时时或乘兴,往往云无心。出山揖牧伯,长啸轻衣簪。昨宵梦里还,云弄竹溪月。今晨鲁东门,帐饮与君别。雪崖滑去马,萝径迷归人。相思若烟草,历乱无冬春。

从"三子同二屐"中,可以看出他们间的交谊是极亲密的;从"长啸轻衣簪"中,也可以看出这些以龙虎自比的人们的傲岸气概。他在《五月东鲁行答汶上翁》诗中说:"顾余不及仕,学剑来山东。举鞭访前途,获笑汶上翁。下愚忽壮士,未足论穷通。我以一箭书,能取聊城功。终然不受赏，羞与时人同。"他的傲岸自负的气概是常常受到别人的讥笑的，但他并不因此减低他的自信心和乐观情绪；对于那些满足于现状的庸俗的人们，他是像鲁仲连一样，羞与这些人相同的。这种情形在《上李邕》一诗中表现得更明显。李邕是当时有名的书法家，做过北海太守，比李白大二十多岁，李白见他时他已经六十多岁了；可以想象这样一位有名望的老年人当然是看不惯李白那种傲岸态度的，可能也有过一些劝告，于是李白在《上李邕》一诗中回答说：

> 大鹏一日同风起，扶摇直上九万里。假令风歇时下来，犹能簸却沧溟水。时人见我恒殊调，闻余大言皆冷笑。宣父（孔子）犹能畏后生，丈夫未可轻年少！

前面讲过，从少年时起，李白就喜欢以大鹏来自况；也只有用像庄子所形容的那种大鹏的气概，来比喻李白的抱负才显得恰当。但在现实社会中他却不能不受到一般人的嘲笑和误解；而且因为他"羞与时人同"，当然就更容易招来"时人见我恒殊调，闻余大言皆冷笑"的待遇了。和李白最常接触的"时人"是些什么样的人呢？最多的当然就是一些地方官吏和努力想得到一官半职的读书人，这些人都是遵循着封建社会的成规来安排自己的命运的；而李白则不是这样，他是要一举而成辅弼，能"起来为苍生"的，这在那些"时人"眼中，当然就不能不认为是夸诞的"大言"了。

李白离开山东后就南下了，漫游于江苏、安徽、浙江等地。经过了十余年的社会磨炼，他对当时的政治现实是认识得比较清楚了。他写的《丁都护歌》说：

> 云阳（江苏丹阳）上征（行）去，两岸饶商贾。吴牛喘月时（暑天），拖船一何苦！水浊不可饮，壶浆半成土。一唱《都护歌》，心摧泪如雨。万人系（一作凿）盘石（大石），无由达江浒（江边）。君看石芒砀（产石的山），掩泪悲千古！

这大概是他在江苏写的。当地的官府在山上采取大石，用拖船来搬运，天旱水浅，千万的劳动者用力牵拉着，也很难到达江边；但监督的官吏（都护）却限令极严，使劳动者无由喘息。李白想到这些石头使人民长久地从事苦役，不禁感叹地说："君看石芒砀，掩泪悲千古！"《丁都护歌》是乐府旧曲，相传是"其声哀切"，李白以之歌咏新事，就更悲恻感人了。从这里可以看出诗人对社会现实的关注和对劳动者的同情态度来。[41] 此外,他因为看到战争带给人民不少苦痛,所以对唐玄宗这时期在西北发动的战争,也表示了很大的不满。公元738—739年(开元二十六至二十七年),正当李白南游江苏、安徽诸地的时候,唐玄宗依仗社会经济的富裕和国力的强盛,对西北的契丹、突厥等发动了好几次战争,虽然这些战争有的是胜利了,但人民的征役却也频繁起来,离妻别子的情况很惨,并且也影响了农业的生产。李白的《乌夜啼》就是写征役所带给人民的流离远别的痛苦的:

黄云城边乌欲栖,归飞哑哑枝上啼。机中织锦秦川女(用晋窦滔妻怀念她丈夫远去流沙的典故),碧纱如烟隔窗语。停梭怅然忆远人,独宿孤房泪如雨。

后来李白初到长安时,贺知章读了这首诗,曾叹赏苦吟,认为"可以泣鬼神矣"[42];可知这是在进京前写的。此外如《古风》第十四首,大概也是这时写的。其中说:"赫怒我圣皇,劳师事鼙鼓。阳和变杀气,发卒骚中土。三十六万人,哀哀泪如雨。且悲就行役,安得营农圃? 不见征戍儿,岂知关山苦。争锋徒死节,秉钺皆庸竖;战士涂蒿莱,将军获圭组(一本无以上四句)。"除了同情人民以外,他对那些驱使兵士来发动战争,以迎合皇帝好大喜功的心理、博取皇帝欢心的将领们,也表示了深切的不满;这些人是常常用兵士的生命来获取自己的功劳的。他这时对社会现实已有比较深一层的认识了。

公元742年(天宝元年),李白四十二岁。这年春天他曾游过泰山,集中有《游泰山》诗六首[43],其中除了歌颂天门、日观诸峰的壮丽景色外,也以一种游仙诗的风格来描述了他的丰富的想象。就在这一年,他说"自爱名山入剡中",他到了浙江的会稽,与道士吴筠共居剡中。唐朝的道士实际上就是隐士,吴筠也会作诗,这时正在会稽游览;恰好唐玄宗召他入京,他就在唐玄宗前推荐了李白。另外唐玄宗的妹妹玉真公主也听到过李白的声名,很愿他到长安。玉真公主是出家了的道士,号持盈法师,在长安筑"玉真观"以居;李白集中有《玉真仙人词》、《玉真公主别馆苦雨,赠卫尉张卿》二首,大概就是他到长安以后的酬献之作。段成式《酉阳杂俎》说:"李白名播海内,玄宗于便殿召见。"李白自己后来也说,当时他"名动京师,上皇闻而悦之,召入禁掖"[44]。可见这时李白的声名已经很大,唐玄宗自然也听说过,遂接连三次下诏召他入京了。他后来曾说:"惟昔不自媒,担簦西入秦。攀龙九天上,忝列岁星臣。"[45]他对"不自媒"一点很得意,表示自己并没有去设法钻营；可知他的入京是应唐玄宗的直接征召的。但"愿为辅弼"是他一向的抱负，与皇帝见面的机会到了，他自然很高兴，以为此后就可以顺利地施展自己的才能了。这时他的家已移在安徽南陵，他写了一首《南陵别儿童入京》诗：

> 白酒新熟山中归，黄鸡啄黍秋正肥。呼童烹鸡酌白酒，儿女嬉笑牵人衣。高歌取醉欲自慰，起舞落日争光辉。游说万乘苦不早，著鞭跨马涉远道。会稽愚妇轻买臣，余亦辞家西入秦。仰天大笑出门去，我辈岂是蓬蒿人！

由这首诗知道他入京的时间是秋季。他又有和妻子戏谑的《别内赴征》诗三首，也是临行前写的；下边是其中的第一二首：

> 王命三征去未还，明朝离别出吴关。白玉高楼看不见，相思须上望夫山！
> 出门妻子强牵衣，问我西行几日归？归时倘佩黄金印，莫见苏秦不下机！

这时他已经四十二岁,虽然感到有点"游说万乘苦不早",但实现他的用世志向的机会终于来到了。于是怀着极大的希望,为这就要实现的幸运而欢乐;"仰天大笑出门去",他"著鞭跨马"走向长安了。

* * *

〔1〕《为宋中丞自荐表》。
〔2〕《与韩荆州书》。
〔3〕《酬坊州王司马与阎正字对雪见赠》。
〔4〕〔7〕〔12〕《代寿山答孟少府移文书》。
〔5〕《冬夜于随州紫阳先生餐霞楼送烟子元演隐仙城山序》。
〔6〕《赠韦秘书子春》。
〔8〕《玉真公主别馆苦雨,赠卫尉张卿》其二。
〔9〕《送裴十八图南归嵩山》其二。
〔10〕《上李邕》。
〔11〕《赠崔谘议》。
〔13〕《嘲鲁儒》。
〔14〕《庐山谣寄卢侍御虚舟》。
〔15〕孟棨:《本事诗》。
〔16〕《行行且游猎篇》。
〔17〕〔35〕《忆襄阳旧游赠马少府巨》。
〔18〕《游庐山序》。

〔19〕《月下独酌》其四。

〔20〕《过汪氏别业》其一。

〔21〕上海人民出版社1954年9月初版本此处还有"他饮酒只是为了一种精神上的解放"一句，1979年新版删去。——编者注。

〔22〕上海人民出版社1954年9月初版本"豪放情绪的表现"之前尚有"要求自由与解放的"一修饰语，1979年新版删去。——编者注。

〔23〕《忆旧游寄谯郡元参军》。

〔24〕〔25〕〔30〕〔31〕《上安州裴长史书》。

〔26〕《醉后赠从甥高镇》。

〔27〕《赠刘都使》。

〔28〕〔37〕《赠从兄襄阳少府皓》。

〔29〕《结袜子》。

〔32〕上海人民出版社1954年9月初版本在此句以下有"任侠表现了一种对于自由快意的生活的追求和对于一些不合理现象的反抗；求仙就其积极方面的意义说，是表现了一种对于现实生活的蔑视，要求在精神上解放自己"一段，1979年新版删去。——编者注。

〔33〕《大鹏赋序》。

〔34〕上海人民出版社1954年9月初版本以下有"蔑视一切束缚人的既定社会秩序"一句，1979年新版删去。——编者注。

〔36〕《古风》其十五。

〔38〕《驾去温泉宫后赠杨山人》。

〔39〕《赠从弟南平太守之遥》其一。

〔40〕《送萧三十一之鲁中兼问稚子伯禽》。

〔41〕上海人民出版社1954年9月初版本为"从这里可以看出诗人

的人道主义精神和对于劳动者的同情态度来",1979年新版将"人道主义精神"改为"对社会现实的关注"。——编者注。

〔42〕见孟棨《本事诗》。有说贺知章读的是《乌夜啼》的,也有说是《乌栖曲》的;《乌夜啼》较好,今从此说。

〔43〕古本《游泰山》六首题下有注云:"天宝元年四月,从故御道上泰山。"

〔44〕《为宋中丞自荐表》。

〔45〕《赠崔司户文昆季》。

长安三年

长安是唐朝的京城,规模宏大,商业发达,宫殿园林都非常富丽;它不只是当时全国的政治中心,也是全国的经济中心。唐诗中歌咏长安的篇章很多,诗人们差不多都在长安逗留过,也都对长安怀有很大的兴趣。可以想象,"仗剑远游"的李白既已经到过许多著名的地方,他当然很早就会想到要去长安的。但傲岸的性格使他觉得那应该是他的最后目标,应该是别人特别请他去,而一去就可以施展抱负的地方;他不能随便地到那里去漫游一下,平白地受一些有权势的人们的白眼。因此他虽然已经游历了十多年,但并没有到过长安。现在机会来了,而且正如他所想望的,是皇帝连着三次下令征召的,他当然很高兴;一方面固然是为了个人的名利荣禄,但重要的却是他以为这一下可以有机会来施展自己的才能,为国效劳了。当初到长安的时候,他也的确很显赫,据说唐玄宗亲自降辇步迎,"以七宝床赐食,御手调羹";而且还说:"卿是布衣,名为朕知,非素蓄道义,何以得此"[1]。并且还"问以国政",请他起草过一些诏诰文件,还请他写过《答蕃书》,让他做翰林供奉。唐代翰林院在禁中,是收罗一些文词经学之士,以备皇帝顾问的;玄宗时又选文学之士,设翰林供奉,与集贤院学士分掌书敕文书等事务。后又改翰林供奉为学士,别置学士院,专掌内命。马端临《文献通考》说李白入翰林是"但假其名,而无所职";宋程大昌《雍录》说:"如李白辈供奉翰林,乃以其能文,特许入翰林,不曰以某官供奉也。"因此所谓翰林供奉只是一种以文学词章备顾问的侍从职务,没有实际的官职。乐史《李翰林别集序》中说:"上尝三欲命李白官,卒为宫中所捍而止。"魏颢《李翰林集序》说李白"年五十余,尚无禄位"。李白自己也说"布衣侍丹墀"[2];他一生是没有正式做过官的。唐朝的制度规定,学士初入翰林院,可以领到一匹厩马,叫做"长借马"。李白自己所谓"揄扬九重万乘主,谑浪赤墀青琐贤。朝天数换飞龙马,敕赐珊瑚白玉鞭",就是他初到长安时生活的写照。他的确想做一番事业,这在《驾去温泉宫后赠杨山人》一诗中表现得最清楚:

少年落魄楚汉间,风尘萧瑟多苦颜。自言管葛竟谁许,长吁莫错还闭关。一朝君王垂拂拭,剖心输丹雪胸臆。忽蒙白日回景光,直上青云生羽翼。幸陪鸾辇出鸿都,身骑飞龙天马驹。王公大人借颜色,金章紫绶来相趋。当时结交何纷纷,片言道合惟有君。待吾尽节报明主,然后相携卧白云。

唐玄宗在早年本来是一个颇为精明的皇帝,但这时他已统治了三十年,觉得天下太平、社会富庶,统治地位很稳固,就一心追求骄奢无度的享乐生活和长生不死的道士方术了。政府中最有权力的人是中书令李林甫,这是一个口蜜腹剑的阴险的人。当时社会虽然表面上还很安定,但政治已日渐腐化,阶级矛盾和民族矛盾也已逐渐显露和深刻化了;但玄宗却仍然终日沉溺声色,追求享乐的生活。这时李白已在社会上树立了比较广泛的声誉,关于他的诗和他的事迹已经流传得很多,唐玄宗也觉得这个人物很新奇,可以做升平的点缀,于是就请他到长安来了。玄宗对李白表面上虽很重视,但并不是要李白参与国家政事,其实这时连玄宗自己也已并不怎么专心图治了;他只希望李白能够像清客一样,作些行乐的诗词,增加他宫廷生活的乐趣。我们只要看一下李白在长安最受宠的几件事情就可以知道了。孟棨《本事诗》记载,玄宗"尝因宫人行乐,谓高力士曰：'对此良辰美景，岂可独以声伎为娱？倘时得逸才词人咏出之，可以夸耀于后。'遂命召[学]曰。时宁王邀白饮酒，已醉，既至，拜舞颓然。上知其薄声律，谓非所长，命为《宫中行乐》五言律诗十首。……自取笔抒思，笞不停辍，十篇立就，更无加点。笔迹遒利，凤跃龙拏，律度对属，无不精绝。……常出入宫中，恩礼殊厚"。现在李集中还存有《宫中行乐词八首》，都是对偶工整、歌咏宫廷享乐生活的五律，其他两首大概已经散逸了。又有一次宫中牡丹盛开，玄宗和杨太真妃一块赏花，命李龟年领着梨园子弟唱歌，李龟年是当时最擅长唱歌的人，他拿着檀板正要领梨园子弟开始唱，皇帝忽然说："赏名花，对妃子，焉用旧乐词为！""遂命李龟年持金花笺宣赐翰林供奉李白，立进《清平调》词三章。"这时，李白酒醉尚未醒，就应命作词了；于是梨园子弟调抚丝竹乐器，李龟年唱起新词来，皇帝自己也吹笛相和，自是"顾李翰林尤异于他学士"[3]。下面就是李白的《清平调》词三章：

　　云想衣裳花想容，春风拂槛露华秾。若非群玉山头见，会向瑶台月下逢。
　　一枝红艳露凝香，云雨巫山枉断肠。借问汉宫谁得似？可怜飞燕倚新妆！

名花倾国两相欢,长得君王带笑看。解释春风无限恨,沉香亭北倚栏杆。

此外还有说他曾作过《白莲花开序》或《白莲池序》的记载。[4] 总之,他所特别受到皇帝宠爱的故事,都是这一类帮闲的类乎清客倡优的事迹。杜甫《寄李十二白二十韵》中说:"笔落惊风雨,诗成泣鬼神。声名从此大,汩没一朝申。文采承殊宠,流传必绝伦。"他的朋友任华也说他做翰林时:"新诗传在宫人口,佳句不离明主心。身骑天马多意气,目送飞鸿对豪贵。承恩召入凡几回,待诏归来仍半醉。"[5] 可知唐玄宗只是把他当作御用的文人看待,让他写作一些华丽的点缀升平的新词,增加宫廷生活的乐趣而已。这种"入侍瑶池宴,出陪玉辇行"[6] 的生活,开始时他自然也觉得很扬眉吐气,但很快就感到寂寞和凄凉了;原来以前一切的希冀仍然是幻想,事实上并没有施展才能和建树事业的机会,皇帝和近臣的庸俗并不下于他以前所接触过的一些官吏,他怎么能耐得住这样的清客生活呢!他在长安只住了三年,但已经觉得太长了,"彷徨庭阙下,叹息光阴逝"[7],他最后感到非离开不可了。

但李白当然不是终日都在宫廷侍从的,他在繁华的长安也找到了一些能谈得来的朋友,可以一起饮酒酣歌,寄托他的狂傲与愤懑。他和贺知章、崔宗之等常常在一块饮酒游览,当时人称他们为"酒中八仙"。这些人的地位虽各有不同,但都喜爱一种放纵浪漫的生活情调;他们的饮酒当然包含着追求及时行乐的消极因素,但同时也有要求用酒来摆脱现实社会羁绊的情绪,酒后就高谈阔论,用傲慢的态度来睨视一切。杜甫的《饮中八仙歌》就生动地给这些人画了一幅素描,其中说:"李白一斗诗百篇,长安市上酒家眠;天子呼来不上船,自称臣是酒中仙。"自然,经常地在酒后表现傲慢的态度,唐玄宗也是不能容忍的;他的离开长安可以说是必然的结果。"酒中八仙"之一的贺知章也是一位诗人,自号"四明狂客",在长安做太子宾客的官,这时已八十余岁,但仍很喜欢饮酒。杜甫《饮中八仙歌》中说:"知章骑马似乘船,眼花落井水底眠。"贺知章对李白的才能是特别赞赏的,李白刚到长安时,和他在紫极宫相会,他就赞赏李白是"天上谪仙人",并解下身上佩戴的金龟来和李白换酒吃。他读了李白的诗《乌夜啼》,曾叹赏苦吟说:"此诗可以泣鬼神矣。"[8]贺知章是天宝三年正月告老归乡的,李白还为他作诗送行。他对李白的称誉和重视在当时是起了很大的影响的。李白后来回忆他说:"四明有狂客,风流贺季真。长安一相见,呼我谪仙人。"[9]杜甫赠李白的诗也说:"昔年有狂客,号尔谪仙人。"[10]对"谪仙人"这个名词李白显然很喜欢,因为这表示了他的一种厌憎庸俗的精神。他曾自称说："青莲居士谪仙人，酒肆藏名三十春。"[11]贺知章死后，李白还一再怀念说："昔好杯中物，翻为松下尘；金龟换酒处，却忆泪沾巾。"又说："人亡余故宅，空有荷花生；念此杳如梦，凄然伤我情。"[12]可见他们感情的深厚。"八仙"之一的崔宗之也是李白在长安时的好朋友，崔宗之在赠给李白的诗中说：

> 凉秋八九月，白露空园亭。耿耿意不畅，梢梢风叶声。思见雄俊士，共话今古情。李侯忽来仪，把袂苦不早。清论既抵掌，玄谈又绝倒。分明楚汉事，历历王霸道。担囊无俗物，访古千里余。袖有匕首剑，怀中茂陵书。双眸光照人，词赋凌《子虚》。酌酒弦素琴，霜气正凝洁。平生心中事，今日为君说。[13]

这首诗是很能写出他们的交谊和李白的风度气概来的。李白在《酬崔五郎中》诗里也回答说："奈何怀良图，郁悒独愁坐。杖策寻英豪，立谈乃知我。"对他是很引为知己的。杜甫《饮中八仙歌》里形容崔宗之是"宗之潇洒美少年，举觞白眼望青天，皎如玉树临风前"。"白眼望青天"表示狂放傲岸的态度，"玉树临风"表示醉后摇曳的样子,可见崔宗之也是一个和李白性格很相近的人物。李白在长安所追陪所作的诗文,都是醉后叫去才写成的;可知和他经常来往的,是"酒中八仙"这一班朋友。因此在贺知章要离开长安的时候,他就感到有点怅然了。

这时期他的生活在表面上是很得意的,生活享受也很豪奢;像他自己后来所说:"昔在长安醉花柳,五侯七贵同杯酒。气岸遥凌豪士前,风流肯落他人后!"〔14〕这种地位也使他感到人情的冷热,"当时笑我微贱者,却来请谒为交欢!"〔15〕但这些生活享受毕竟掩盖不住他内心的苦闷,这在《翰林读书言怀,呈集贤诸学士》一诗里表现得最清楚:

晨趋紫禁中,夕待金门诏。观书散遗帙,探古穷至妙。片言苟会心,掩卷忽而笑。青蝇易相点,白雪难同调。本是疏散人,屡贻褊促诮。云天属清朗,林壑忆游眺。或时清风来,闲倚栏下啸。严光桐庐溪,谢客临海峤。功成谢人间,从此一投钓!

他在翰林院中已感到自己曲高和寡,要受别人的猜忌("青蝇易相点,白雪难同调"),因而只能用读书来慰藉自己。他开始感到这种生活的不自由，"本是疏散人，屡贻褊促诮"；因此想还是赶快立功后离开，像严子陵、谢灵运一样地游览山水名胜去罢！他受不了朝廷中的那种拘束，刚下朝后他就作诗说："何由返初服，田野醉芳樽。"〔16〕他已经想要离开了。但为了事业心的驱使，起初他还想能够"功成谢人间"，多少做出一点有意义的事情来；但不要好久，他就知道这根本是不可能的了。"离居在咸阳，三见秦草绿"，前后不过三年，他最后只有离开了。

在这三年中，因为生活在长安，耳闻目睹，使他对唐朝中央统治集团的腐化和罪恶，有了比较清楚的认识。《古风》第二十四首说：

> 大车扬飞尘，亭午暗阡陌。中贵多黄金，连云开甲宅。路逢斗鸡者，冠盖何辉赫！鼻息干虹霓，行人皆怵惕。

《新唐书·宦者传》记载开元、天宝中仅宦官所占的甲舍名园和上腴之田就有长安的一半。因此像高力士那样的人，在当时，气焰是极其凌人的。唐玄宗喜欢斗鸡的游戏，在长安设有"鸡坊"，选六军小儿五百人，饲养和训练成千的雄鸡；其余诸王家、外戚家、公主家、侯家，都用高价买鸡，成为一种社会风气。对于擅长斗鸡的人，皇帝特别爱幸，都赏做大官。当时的歌谣就说："生儿不用识文字，斗鸡走马胜读书。"陈鸿作的传奇《东城父老传》中对这种情形有很详细的描述。这些不学无术和荒淫骄奢的统治阶层的人们，气势熏天，欺压人民，李白感到很气愤。这时是唐朝号称盛世而乱世已在萌芽的时期，政治腐化，权臣弄奸，宫廷中过着极端荒淫奢侈的生活，官吏贪污成风，人民的生活却日渐凋敝，生产力也渐趋衰落。富有正义感和同情人民的诗人对这种"行人皆怵惕"的现象不能不感到愤怒。李白在《叙旧赠江阳宰陆调》一诗中，一本有下面几句："我昔北门厄，摧如一枝蒿。有虎挟鸡徒，连延五陵豪。邀遮来组织，呵吓相煎熬。君披万人丛，脱我如狴牢！"据此则李白自己也在长安北门一带遭遇过这些鸡徒之流的威胁和煎熬，而是由朋友陆调来救出去的；那他怎么能不感到愤怒呢？在《行路难》第二首中，他说："羞逐长安社中儿，赤鸡白狗赌梨栗！弹剑作歌奏苦声，曳裾王门不称情。"他在长安也实在住不下去了。《古风》第四十六首里对这些斗鸡蹴鞠（一种踢毯的游戏）的人们可以左右国政也极表愤慨："斗鸡金宫里，蹴鞠瑶台边。举动摇白日，指挥回青天。"而深叹"一百四十年，国容何赫然"的国家，就要糟蹋在他们的手里。他对唐玄宗也批评说："彼希客星隐，弱植不足援"[17]；皇帝只希望有才能的人都像严子陵一样做隐士，那还能对他寄托什么希望呢？《古风》第三十九首说："白日掩徂晖，浮云无定端。梧桐巢燕雀，枳棘栖鸳鸾。且复归去来，剑歌《行路难》。"他对于像"燕雀"一样的人能够当权而像"鸳鸾"一样的有才能的人却反而只能流离失所的黑暗情形，感到很大的愤慨；他到长安以前的那些理想全部破灭了，这怎么能使他不起"归去"的打算呢？于是只好上疏请求离开了。

唐玄宗对他的请求自然是答应的。孟棨《本事诗》说唐玄宗"以其非廊庙器，优诏罢遣之"。李白的傲岸态度使他看着不顺眼，这就是他所谓"非廊庙器"的评语的实质。同时，那些权臣大吏和斗鸡蹴鞠之徒自然也很讨厌李白，他们在皇帝面前的经常的逸言当然也会发生作用，这也是使他不能不离开的原因。魏颢《李翰林集序》说张垍就是谗害李白的一人；张垍是旧丞相张说的儿子，玄宗的驸马，在翰林院做中书舍人的官，后来曾投降安禄山；这样的人自然是会谗害别人的。另外就是宦官高力士，他是皇帝的近侍和心腹，权力极大，"资产殷厚，非王侯所拟"，四方进奏的文表都要先经过他看；李林甫、杨国忠、安禄山这些人都是通过他才取得了将相高位的。连唐肃宗在未登帝位前都叫他"二兄"，诸王公主都叫他"阿翁"，其余的官吏怎样巴结他那就不用说了。[18]但正如后人所赞美,李白"目中不知有开元天子,何况太真妃、高力士哉!"[19]因此他在皇帝筵前吃醉了,就引足让高力士脱靴;李白把高力士只看成可供驱使的奴仆,高力士怎么会不忌恨呢! 据说杨贵妃很喜欢李白的《清平调》词,高力士就进谗言说:"李白用赵飞燕来比您,太看不起您了。"于是杨贵妃也就恨起李白来了。释贯休《古意》一诗中的"一朝力士脱靴后,玉上青蝇生一个"这两句,就是咏这事的。当然,实际上谗谤李白的也不止一二人,李阳冰《草堂集序》就说:"丑正同列,害能成谤,格言不入,帝用疏之。"刘全白《李君碣记》说他为"同列者所谤";李白自己也说:"浮云蔽紫闼,白日难回光。群沙秽明珠,众草凌孤芳。"[20]可知谗毁他的人是颇多的。这也很容易理解,李白自己既"戏万乘如僚友,视俦列如草芥",极端鄙视那些权贵大臣和斗鸡蹴鞠之徒,那他们怎么会看得惯李白对他们的傲慢态度呢?

这在李白的诗中也表现得很清楚。他说:"早怀经济策,特受龙颜顾。白玉栖青蝇,君臣忽行路。"[21]又说:"白璧竟何辜,青蝇遂成冤。"[22]又说:"谗惑英主心,恩疏佞臣计。彷徨庭阙下,叹息光阴逝。未作仲宣诗,先流贾生涕。"[23]他受到别人的谗毁是没有问题的,他也不愿再在长安过这种生活了,遂自动上疏请求离开;皇帝也乐得做顺水人情,遂赐之金,"优诏罢遣"。他的朋友任华在《杂言寄李白》中写道："权臣妒盛名，群犬多吠声。有敕放君却归隐沦处，高歌大笑出关去。"这是写出了当时的真实情形的。李白自己也说："北阙青云不可期，东山白首还归去。"[24]又说："浮云蔽日去不返，总为秋风摧紫兰。角巾东出商山道，采秀行歌咏芝草。"[25]就这样，他"高歌大笑"地离开了长安。

在离开长安时，他对"翰林诸公"写了一首留别的诗。其中说："一朝去金马（官门），飘落成飞蓬。宾客日疏散，玉樽亦已空。才力犹可倚，不惭世上雄。"[26]他毅然摆脱了长安的那种豪华生活；而且经过了这次波折，他的豪放乐观的情绪也并没有被消磨掉，他对自己的才力仍是有高度自信的。并且在和那些权贵要人们接触了一个时期以后，他更觉得自己"不惭世上雄"了。因此他很自然地又走上了漫游的旅程。

在长安他住了还不到三年，以后也没有再到过。这三年是他一生中在表面上生活最得意的时期，但也是使他对当时政治社会有了比较清楚认识的时期。

* * *

〔1〕李阳冰：《草堂集序》。
〔2〕《赠崔司户文昆季》。
〔3〕这事出于唐韦叡所撰《松窗录》；《松窗录》今不存，见《太平

《广记》中所引。今人颇有怀疑《清平调》词三章为伪作者,但无确证。

〔4〕《太平广记》引《摭言》及范传正《唐左拾遗翰林学士李公新墓碑》。

〔5〕任华:《杂言寄李白》。

〔6〕《秋夜独坐怀故山》。

〔7〕〔23〕《答高山人兼呈权、顾二侯》。

〔8〕孟棨:《本事诗》。《乌夜啼》或言是《乌栖曲》。

〔9〕《对酒忆贺监》其一。

〔10〕杜甫:《寄李十二白二十韵》。

〔11〕《答湖州迦叶司马问白是何人》。

〔12〕《对酒忆贺监》其二。

〔13〕崔宗之:《赠李十二》。

〔14〕《流夜郎赠辛判官》。

〔15〕《赠从弟南平太守之遥》其一。

〔16〕《朝下过卢郎中叙旧游》。

〔17〕〔22〕《书情赠蔡舍人雄》。

〔18〕见《旧唐书·高力士传》。

〔19〕明王穉登:《李翰林分体全集序》。

〔20〕《古风》其三十七。

〔21〕《赠溧阳宋少府陟》。

〔24〕《忆旧游寄谯郡元参军》。

〔25〕《答杜秀才五松山见赠》。

〔26〕《东武吟》。

李杜交谊

李白离开长安之后,先到了河南,在开封和洛阳都停留了一些时候。就在公元744年(天宝三载),李白刚刚由长安到洛阳的时候,产生了中国文学史上永远令人忆念的一段佳话——李白与杜甫见面了,而且从此开始了这两位伟大诗人之间的亲密的交谊。这一件事情的意义和它在后人心目中的地位,闻一多先生曾在《唐诗杂论》里这样描述过:

> 我们该当品三通画角,发三通擂鼓,然后提起笔来蘸饱了金墨,大书而特书。……我们再逼紧我们的想象,譬如说,青天里太阳和月亮走碰了头,那么,尘世上不知要焚起多少香案,不知有多少人要望天遥拜,说是皇天的祥瑞。如今李白和杜甫——诗中的两曜,劈面走来了,我们

看去,不比那天空的异瑞一样的神奇,一样的有重大的意义吗?[1]

但最有意义的还不仅是这两位诗人的伟大和他们竟然邂逅在一起了,更值得我们深思的是他们还建立了那么亲密的和彼此一直关心的友谊。在这以前,李白走过很多地方,结识过各种人物;杜甫虽然比较年轻,但也已经有过吴、越、齐、赵的十年漫游,两人在一起相处的时间也并不算长,但在他们平生的交游中,彼此竟在对方的情感中占有了非常重要的位置,那是不能不从这两位伟大诗人所共同具有的精神来理解的。自从曹丕的《典论·论文》流传以后,我们仿佛觉得"文人相轻"是"自古已然"的传统,其实哪里是如此!我们的确曾听到过历史上许多"文人相轻"的故事,像傅毅、班固这些人物的事情,而且这类故事差不多每个朝代都有;但这不只不是一种美好的品德,而且也并不是所有的文人都是如此的。屈原、宋玉的交谊我们虽不十分清楚,但李、杜的交谊是清楚的,元微之、白居易的交谊也是清楚的,这样的例子还有很多;他们所建立的彼此关心、爱护以及互相规劝的亲密友谊,才真正是文学家之间的一种正常关系的优良传统,而且直到现在也还可以做我们的典范。这些伟大的作家都是胸襟开阔的,具有强烈的正义感的,对艺术也是真正爱好的,因此他们就能互相尊重和关心,建立起亲密的友谊来。李、杜的交谊的基础是只能由这两位伟大诗人所共同具有的精神来理解的;简单地说,那就是一种对于某些不合理事物的憎恶态度和彼此间对于对方才能与特长的尊重的精神。如闻一多先生所说,这才更是值得"大书而特书"的。但历来也的确有许多特别喜欢"文人相轻"的人,他们是完全不能理解这一点的;他们只能用自己褊狭的心胸来揣想,总以为李白与杜甫一定是彼此不服、互相讥刺的。譬如唐《本事诗》中记载李白有这样的一首诗:"饭颗山头逢杜甫,头戴笠子日卓午。借问因何太瘦生?只为从来作诗苦。"据说这是李白讥刺杜甫作诗过于苦思和拘束的;但李白集中并没有这首诗,洪迈《容斋随笔》说这是"好事者所撰";清仇照鳌注杜诗也说:"李、杜文章知己,心相推服,断无此语。且诗词庸俗,一望而知为赝作也。"这首诗当然是所谓"好事者"假托的[2];但偏就有这样一些"好事者"不相信诗人之间也会"心相推服",这就是所谓"文人相轻"的那种不好的习惯在作祟的缘故。我们还可以举一个故事来说明我们的看法:崔颢有《题武昌黄鹤楼》的诗写得极好,而歌咏名胜河山的雄伟壮丽本是李白诗的一个重要方面,但李白登黄鹤楼后就说"眼前有景道不得,崔颢题诗在上头"。后来李白有《登金陵凤凰台》诗,就是学崔颢诗的作法的。后人常常评论这两首诗说"未易甲乙","真敌手棋";而且叹息李白的"服善"。这就说明像李白、杜甫这样的诗人是并不像有些人所想象的那样褊狭的。因此虽然关于他们交往的情形我们知道得并不够详细,但还是应该尽可能来加以特别叙述的。

杜甫这时三十三岁,是由山东漫游归来后暂时定住在洛阳的。洛阳是当时的大都市,在这里,在社会生活中占重要地位的当然也是一些贵族和富商,杜甫对这些人感到非常厌烦。他一见李白就好像贺知章说李白是"天上谪仙人"一样,就被这位比他大十一岁、社会经历比较丰富的诗人的风采吸引住了;他在《赠李白》诗中首先叙述了对洛阳生活环境的憎恶心情,说:"二年客东都,所历厌机巧;野人对膻腥,蔬食常不饱。"他所遇到的尽是虚伪的"机巧"和臭味的"膻腥",他厌烦透了,忽然遇见李白摆脱富贵退隐了,他大为佩服,说:"李侯金闺(指宫门)彦,脱身事幽讨(指寻讨幽隐)。亦有梁、宋(开封、商丘一带)游,方期拾瑶草。"[3]他希望能和李白偕隐,一块去求仙访道。后来他在寄给李白的诗中曾叙述说:"乞归优诏许,遇我宿心亲。未负幽栖志,兼全宠辱身。剧谈怜野逸,嗜酒见天真。"[4]可见他们是在李白刚离开长安后会晤的,而且一见就定交了。李白的豪爽明朗的性格把他吸引住了,他对李白离开长安的举动、健谈嗜酒的习惯,都非常喜欢。于是他们一块游历,饮酒作诗。接着又都去开封,在那里又遇到了诗人高适,他也正在这一带流浪,于是就结合在一起了。《新唐书·杜甫传》说:"甫少与李白齐名,时号李、杜。尝从白及高适过汴州(开封),酒酣登吹台,慷慨怀古,人莫测也。"杜甫《遣怀》诗也记载说:"昔与高、李辈,论交入酒垆。两公壮藻思,得我色敷腴(喜悦貌)。气酣登吹台,怀古观平芜。"他们在一起"慷慨怀古"的时候,当然是有许多对现实政治和社会的不满及批评的。这几位极其关心现实的诗人,他们已敏锐地感觉到在这号称盛世的时代潜伏着国家很深的危机。李白在这时写的许多诗歌都流露出他对国事的隐忧;《古风五十九首》中有好些篇都是这时写的,在"游仙"的外衣下隐藏着他对国家社会的深切的关心。但能遇到彼此有同感的可以谈得来的朋友,毕竟是一件称心的事情,因此他们饮酒赋诗,高歌游猎,过了一阵豪放的富于浪漫情调的生活。李白描写秋天在孟诸游猎的情形说:"俊发跨名驹,雕弓控鸣弦。鹰豪鲁草白,狐兔多肥鲜。邀遮相驰逐,遂出城东田。一扫四野空,喧呼鞍马前。归来献所获,炮炙宜霜天。"[5]孟诸是山东单县一带的一片五十多里的大泽,很适于游猎,李白所写的正是他们在一起游猎时的情形。游猎完了以后,就把狐兔等胜利品烧炙出来,大家共同饮酒谈论,"慷慨怀古",这就是他们在一起时的常有的生活。杜甫《昔游》诗中说:"昔者与高李,晚登单父台(单县有琴台)。寒芜际碣石,万里风云来。桑柘叶如雨,飞藿去徘徊。清霜大泽冻,禽兽有余哀。"这是描述他们秋天黄昏登单父琴台远眺时的情形的。

天宝四载,高适南游楚地去了。李白和杜甫一起到了山东齐州(济南)。他们常常在北海太守李邕那里饮酒聚会。李邕这时已快到七十岁了,由于在书法和文章方面的成就,他在社会上享有很大的盛名;他又喜好交游,来往的名士很多。齐州的太守是李邕的从孙李之芳,也常常和李白他们来往。李白这时和杜甫的交谊已非常亲密,他们常常在历下亭和鹊山湖边上的新亭相会。杜甫的《与李十二同寻范十隐居》诗中说:

> 李侯有佳句,往往似阴铿。余亦东蒙客(蒙山在沂州,近兖州),怜(爱)君如弟兄。醉眠秋共被,携手日同行。更想幽期处,还寻北郭生(指范十)。入门高兴发,侍立小童清。落影闻寒杵,屯云对古城。

这里对李白的诗作了评价,说他的佳句可以比得上六朝时以五言诗著名的阴铿。也叙述了他们"醉眠共被"和"携手同行"的兄弟般的亲密关系。这诗的最后两句是"不愿论簪笏,悠悠沧海情"。他们看不起冠簪持笏的那些官吏贵族,可以说正是他们的亲密交谊的基础。李白也有记载《寻鲁城北范居士》的诗,和杜诗所说的当是一件事情;李白这首诗中还记载了中途失道,走在苍耳(有刺的卷耳菜)丛里的情形。诗中说:

> 忽忆范野人,闲园养幽姿。茫然起逸兴,但恐行来迟。城壕失往路,马首迷荒陂。不惜翠云裘,遂为苍耳欺。入门且一笑,把臂君为谁!酒客爱秋蔬,山盘荐霜梨。他筵不下箸,此席忘朝饥。酸枣垂北郭,寒瓜蔓东篱。还倾四五酌,自咏《猛虎词》。

这位主人的住所的确是充满了乡村风光的;门前垂着酸枣树,篱架上挂满了自种的寒瓜,招待客人的有酒和秋蔬,还有解酒的霜梨;他的殷勤的招待使我们的诗人兴致很高,于是他们饮酒谈论,自然国家社会的大事都是题材,到酒酣耳热,愤懑不满和慷慨悲壮的情绪越发浓厚了,于是"自咏《猛虎词》",来寄托自己的抱负和感慨。这以后李白曾到过任城(济宁)一次,大概他的家这时又由安徽移至山东,他是去安置他的家庭的,因此和杜甫有过一个短时期

的离别。到秋天再见面时,杜甫写了下面一首诗来规劝李白:

> 秋来相顾尚飘蓬,未就丹砂愧葛洪。痛饮狂歌空度日,飞扬跋扈为谁雄?[6]

这是一个知己朋友的衷心的规劝:不要再那么"飞扬跋扈"地傲视一切了,最好收敛一点。虽然李白有和杜甫不同的遭遇和心境,他的年龄大、社会经历多,两个人在性格上也不相同,李白对人的傲岸态度是有他的原因的;但杜甫的规劝不只完全是善意的,而且也是中肯的。因此他们的友谊越加亲密了。不久,杜甫要到长安去,李白也要开始他的新的漫游,两人在兖州(曲阜)的石门分别了,李白送了杜甫一首诗:

> 醉别复几日,登临遍池台。何时石门路,重有金樽开?秋波落泗水,海色明徂徕。飞蓬各自远,且尽手中杯![7]

他们痛饮后就分别了;以后也再没有见面,再没有找到金樽重开的机会。

在李、杜来往的这一时期，李白已经完成了许多著名的诗篇，"笔落惊风雨，诗成泣鬼神"[8]，已经名播海内了；但杜甫的创作生活才刚刚开始，我们熟悉的许多名篇还都没有写出来，因此就他们之间的相互关系说，李白对杜甫的影响要比较大一些。李白的诗具有自然豪放的风格，比起当时一些沿袭六朝的绮靡纤弱而又内容空虚的诗来，对于杜甫有很大的吸引力量。譬如说歌咏游侠和求仙，是李白诗中的两个重要题材，也是他的一种要求解脱社会羁绊的精神的寄托，在杜诗中就表现得很少；但在这一时期，在李、杜交往的这一时期，杜诗中也有了歌咏游侠和求仙的风格比较豪放的诗歌，这应该说多少是受了李白的影响的。杜甫的《饮中八仙歌》对李白那些人的生活和风度的描述，无疑是带着一种近乎企羡和赞美的态度的；而这和我们所了解的杜甫一生的生活态度以及杜诗的主要精神，是不大相合的。这就说明在李、杜交往的这一段时间内，杜甫是为李白的风度气概所吸引了，于是他也痛饮高歌，求仙访道；他喜欢李白的那种豪放和热情。他们分别以后，杜甫虽然写了很多著名的诗篇，完成了自己的风格，但他却仍一直对李白的诗给予很高的评价；在以后所写的怀念李白的诗里，常常谈到李白的才能和他的诗歌的价值，而且都是推崇备至的。这一方面说明了李白诗的艺术成就的确是很高的，另一方面也说明了他们之间的交谊是极其真诚无私的。

他们虽然分别了，但彼此却常常怀念着。杜甫在长安时有《春日忆李白》的诗，也有《冬日有怀李白》的诗；"竹溪六逸"之一的孔巢父由长安归游江东，杜甫临别时再三嘱托他，说"南寻禹穴见李白，道甫问信今何如？"[9]他对李白是"寂寞书斋里，终朝独尔思"[10]的。到李白因从永王李璘事获罪，流谪夜郎以后，更表现了他的深切的关心和同情；这时他在秦州（天水），他的《梦李白二首》就是这时写的。他说"三夜频梦君"，"故人入我梦，明我长相忆"；对李白的遭遇表示了很深的愤慨："冠盖满京华，斯人独憔悴。孰云网恢恢，将老身反累。千秋万岁名，寂寞身后事。"但他对李白可以有"千秋万岁名"还是深信不疑的。另外还有《寄李十二白二十韵》和《天末怀李白》二诗，都是这时在秦州写的；前者对李白的生平才能以及他们的交谊作了较详细的叙述；后者对"文章憎命达，魑魅喜人过"所给予李白的遭遇寄托了深厚的同情。杜甫到了成都以后，打听不着李白的消息，又写了《不见》一诗，其中说："不见李生久，佯狂真可哀！世人皆欲杀，吾意独怜才。"从这些诗篇里，可以看出杜甫对李白的诚挚浓厚的友情。同样的，李白也是很怀念杜甫的，下面是他在沙丘（山东兖州境）所写的《沙丘城下寄杜甫》诗：

> 我来竟何事，高卧沙丘城。城边有古树，日夕连秋声。鲁酒不可醉，齐歌空复情。思君若汶水，浩荡寄南征。

他对杜甫也同样是像对汶水一样地怀着无穷无尽的思念的；不见杜甫，觉得饮酒唱歌都好像很少兴致了。他们的友谊因为是建立在互相尊重和关切爱护的基础上的，所以就久而弥笃了。

杜甫对李白诗的艺术成就，也是非常推崇的。他曾致简薛华说："近来海内为长句，汝与山东李白好。"〔11〕对李白的乐府歌行极为称赞。《春日忆李白》诗中说："白也诗无敌，飘然思不群。清新庾开府（庾信），俊逸鲍参军（鲍照）。"他以清新俊逸作为李白诗的独特的风格，认为李白的成就完全可以比得上六朝诗人庾信和鲍照。对李白的运思敏捷和语句豪壮他也深致赞美；说李白"敏捷诗千首"〔12〕，又说"笔落惊风雨，诗成泣鬼神"。我们知道李、杜在诗的艺术上都是有自己独特的创造和风格的，但这并不妨碍他们对别人创作成就的推崇和尊重；"何时一樽酒，重与细论文"〔13〕，可以想象当他们在一起饮酒论文，彼此坦率地发抒自己对诗文的意见和评价时，得到对方同感的那种欢畅愉快的情景。虽然他们在一起相处的时间还不到两年，但这段文学史上的佳话的确已经是永远值得人忆念的了。

* * *

〔1〕《闻一多全集》第三册:《唐诗杂论·杜甫》。

此段引文中被删节处上海人民出版社1954年9月初版本是原文照引的。被删去的原文是:"因为我们四千年的历史里,除了孔子见老子(假如他们是见过面的),没有比这两人的会面,更重大,更神圣,更可纪念的。"——编者注。

〔2〕这首诗的不可靠是不成问题的。旧说"饭颗山"在长安,但无确实记载可据;王定保《摭言》记这诗,"饭颗山头"一作"长乐坡前",长乐坡在长安附近,就是天宝三年满朝官吏送别贺知章的地方。但自从李、杜会晤以后,李白就再没有到过长安,那如何会在长安附近遇见杜甫呢!

〔3〕〔6〕杜甫:《赠李白》。

〔4〕〔8〕杜甫:《寄李十二白二十韵》。

〔5〕《秋猎孟诸夜归置酒单父东楼观妓》。

〔7〕《鲁郡东石门送杜二甫》。

〔9〕杜甫:《送孔巢父谢病归游江东兼呈李白》。

〔10〕杜甫:《冬日有怀李白》。

〔11〕杜甫:《苏端、薛复筵简薛华醉歌》。

〔12〕杜甫:《不见》。

〔13〕杜甫:《春日忆李白》。

十载漫游

李白自从公元744年（天宝三载）离开长安以后，一直到公元755年（天宝十四载）安禄山乱起，就是从他四十四岁到五十五岁的时候，一共有十年的时间，又都是在各地漫游中度过的。但他已有四五十岁了，又经历了在长安一段的生活，诗人的豪迈和乐观自信的精神虽然并没有改变，但心境毕竟和上一次漫游时有些不同了。游侠和求仙本来是李白诗中的两个重要的方面，但在上一次的漫游中，歌咏游侠的诗占的分量很多，在这时期则相对地减少了，而描述求仙的诗则比较地多了起来。虽然那根本精神还是相同的，但少年时的豪壮的情感是多少沉炼一点了。[1]上一次漫游的中心是在湖北的安陆，这一次则更为流浪和漂泊了，生活很不安定。他自己虽然说"一朝去京国，十载客梁园"[2]，但这只是因为梁园（开封）是来往各地的交通要道，他的家又在山东，因此无论到河北、山西或陕西,都常常经过这里而已,那和前一期以安陆为中心的情形是不同的。这十年当中他走过的地区很广,也遭遇到社会上的各种冷落和白眼;"一朝谢病游江海,畴昔相知几人在?前门长揖后门关,今日结交明日改!"[3]他是在实际生活中感到人情的冷暖的。一方面他这时的生活情况也和上次漫游时不同,在初出蜀的时候,他大概带了很多的钱财,因此那时生活很豪纵;但"黄金久已罄,为报故交恩"[4],由于一贯轻财重义的任侠和挥霍的结果,他当然是早已没有钱了。诗中也没有再提起四川的家来,他大概也已和它没有什么关系了。在刚离开长安的时候,皇帝是送给了他一些钱财的;但时间一长,生活困难的情形就来临了。"归来无产业,生事如转蓬"[5];"余亦不火食,游梁同在陈!"[6]在开封过的日子简直像孔子在陈绝粮时的情形一样,他开始感到生计的窘迫了。因此这十年中他在各地漫游,可能也含有一些解决生计问题的实际因素在内。常常集中有一些和地方官佐赠酬的诗,那多半是在别人的招待后酬谢主人盛意的作品。那些人职位并不怎样高,其中很多人,我们已无法考得他们的事迹。而李白在当时是很有盛名的,又得到过皇帝的礼遇,于是在他到了以后,那些官吏就招待他一些日子,临走时送些程仪,诗人就回送一首诗,大概就是这样的一种交情。有时他也很慨叹没有人帮助他:"故友不相恤,新交宁见矜。"[7]光景过得极苦；有时得到别人的一些馈赠，他也表示很感激："鲁缟如白烟，五缣不成束。临行赠贫交，一尺重山岳。"[8]就这样，他在各地游历名胜，登临山水；同时当然也饮酒、作诗，来发抒自己的感触。时间一天天地过去，他所到的地方很多，所费的时间也很长。十年过去以后，天宝之乱来了，社会的安定局面打破了，举国都陷在一种动乱的生活里，那情况和他少年时期所经历的完全不同，而诗人自己也衰老了。

离开长安以后，他在开封、济南等地和杜甫、高适等朋友欢乐了一阵，"醉舞梁园夜，行歌泗水春"[9]；他的情绪仍然是很豪壮的，这当然和遇到几个谈得来的朋友也有关系。在齐州时，由他的从祖陈留采访使李彦允介绍，他曾请北海高天师授道箓于齐州紫极宫。紫极宫是老子的庙，唐代皇室尊崇老子为祖宗，提倡道教，高宗时还追崇老子为玄元皇帝，因此当时相信的人很多。开元中曾诏令两京及诸州各置玄元皇帝庙，天宝三载又改天下诸郡玄元庙为紫极宫。道箓是道教的典册，高天师是当时著名的道士高如贵，李白有奉饯他的诗，其中有"道隐不可见，灵书藏洞天"[10]等语。唐朝统治者提倡道教，一方面是为了老子姓李，可以在宗教中培植李姓帝室的统治威严；一方面也是为了祈求长生不老，使自己的地位能够巩固地延续下去，不受自然规律的支配。这种提倡在社会上产生了很大的影响,求仙学道成为一种时代风尚。皇帝还常常召见一些隐修的道士,对他们很优待,因此文人学士间出家修道的人也很多。李白的求道,其中当然也含有一些在社会上进行活动和树立声誉的要求以及某些迷信的成分,像当时的很多人一样;但由诗中所表现的看起来,逃避现实和幻想未来的成分相当稀薄,主要的还是一种对于解除社会束缚的渴望和对于自由自在的生活的憧憬;他并不能算是虔诚的宗教信徒。范传正《唐左拾遗翰林学士李公新墓碑》说:"脱屣轩冕,释羁缰锁,因肆情性大放宇宙间。……好神仙非慕其轻举,将不可求之事求之,欲耗壮心遣余年也。"他诗中的歌咏求仙的内容,主要也只是用一种游仙的形式来驰骋自己的想象力,借以发抒愤懑。因此就这些诗的积极方面讲,也仍是有其一定的现实意义的。《怀仙歌》中说:"尧、舜之事不足惊,自余嚣嚣直可轻。巨鳌莫载三山去,我欲蓬莱顶上行。"《悲清秋赋》中说:"人间不可以托些,吾将采药于蓬邱(蓬莱)。"因为他看不惯世间的庸俗和污浊,因此才以神仙为寄托。"奈何青云士,弃我如尘埃"[11];"仙人如爱我,举手来相招"[12];他的才能在社会上得不到应有的重视,于是他才想象到理想的仙人是会爱戴他的。"我本不弃世,世人自弃我"[13],"人生在世不称意,明朝散发弄扁舟"[14],都说明他的歌咏求仙乃是以仙境来与现实世界作对比的，其中含有对现实的一定的批判意义。"海客谈瀛洲，烟涛微茫信难求"[15]，"仙人殊恍惚，未若醉中真"[16]，他对神仙的存在实际上是有怀疑的。"扰扰季叶人，鸡鸣趋四关。但识金马门（官门），谁知蓬莱山"[17]，他的求仙在一定意义上可以说是对一些趋炎附势的官吏们的抗议。"不向金阙游，思为玉皇客"[18]，在这里也寄托了他的傲岸自负的情绪。我们看他所描写的仙人生活是什么样子的呢？"一餐历万岁，何用还故乡！永随长风去，天外恣飘扬"[19]，"八极恣游憩，九垓长周旋"[20]，仙人过的就是这样一种没有任何束缚的生活，而这正是反映了诗人自己的愿望的。在另外一篇文章里他说得更清楚："吁咄哉！仆书室坐愁，亦已久矣！每思欲遐登蓬莱，极目四海，手弄白日，顶摩青穹，挥斥幽愤，不可得也。"[21]这里明白地说明他有忧愁，而求仙的目的正是为了"挥斥幽愤"的。

但神仙毕竟是一种幻想的存在，并不能解脱他日常生活中的忧愁和愤懑。"仙人有待乘黄鹤，海客无心随白鸥"[22]，"仙人殊恍惚，未若醉中真"，他其实是并不完全相信神仙的；于是和求仙属于相似的原因，他这时期更沉湎于酒了。他说："贤圣既已饮，何必求神仙"[23]，"蟹螯即金液（仙药），糟丘是蓬莱。且须饮美酒，乘月醉高台"[24]，因此他比以前更加豪饮了。但这时和以前不同的是除了有时他仍然歌咏饮酒的酣乐以外,很多地方他更认为酒是可以消愁的了。他说:"穷愁千万端,美酒三百杯。愁多酒虽少,酒倾愁不来!"[25]又说:"涤荡千古愁,留连百壶饮"[26],"谁能春独愁,对此径须饮"[27],足见他很烦闷,而饮酒是为了消愁的。到酒酣兴发的时候,他就慷慨高歌。他由长安到梁园后不久写的《梁园吟》,是很能表现他这时候[28]的情感的:

> 我浮黄河去京阙(长安),挂席欲进波连山。天长水阔厌远涉,访古始及平台(汉梁孝王所游览的地方)间。平台为客忧思多,对酒遂作《梁园歌》。却忆蓬池阮公咏,因吟渌水扬洪波(用阮籍《咏怀诗》语)。洪波浩荡迷旧国,路远西归安可得!人生达命岂暇愁,且饮美酒登高楼。平头奴子摇大扇,五月不热疑清秋。玉盘杨梅为君设,吴盐如花皎白雪。持盐把酒但饮之,莫学夷、齐事高洁!昔人豪贵信陵君,今人耕种信陵坟。荒城虚照碧山月,古木尽入苍梧云。梁王(汉梁孝王)宫阙今安在?枚马(枚乘、司马相如)先归不相待。舞影歌声散渌池,空余汴水东流海。沉吟此事泪满衣,黄金买醉未能归。连呼五白行六博(赌酒胜负的棋类游戏),分曹赌酒酣驰晖。

> 歌且谣,意方远,东山高卧时起来,欲济苍生未应晚!

这首诗是说明了他这时候的复杂心情的;他有"忧思",但他是一个豪放的人,不愿把自己浸沉在忧思里。于是一方面饮酒行乐,慷慨怀古,叹息人事的无常,为自己解怀;一方面他仍然有高度的自信,像他自己所说的"天生我材必有用",觉得以后还是会有机会来施展自己的才能和抱负的,正不必自居隐退,终日忧愁烦闷。这也同时说明了李白的饮酒行乐,并不完全是一种颓废享乐的态度。[29] 他的《鸣皋歌送岑征君》一诗也是在梁园作的,那时天正下雪,他在附近的清泠池上送朋友,作了这一首诗。诗中对当时的社会有如下的描述:"鸡聚族以争食,凤孤飞而无邻。蝘蜓(蝎虎)嘲龙,鱼目混珍。嫫母(古之丑女)衣锦,西施负薪。若使巢、由桎梏于轩冕兮,亦奚异于夔龙蹩躠(跛行)于风尘!"《古风》第五十首也说:"流俗多错误,岂知玉与珉!"他感到当时的社会现实实在无法容忍,这就是他的忧思的主要内容。他虽然想"济苍生",但目前这只能是空话,于是就更沉湎于酒了。

他也不愿逃避到山林里去做隐士;虽然作为一个封建社会的读书人,如果不出仕则实际上就是归隐,因为本来也只有这两条路。但他不欲以清高自命,他还想"济苍生",他说:"苟无济代心,独善亦何益!"[30]因此他"不树矫抗之迹,耻振玄邈之风;混游渔商。隐不绝俗"[31]。这样,他就在各地流浪,也和一些遇到的地方官吏来往,他是"隐不绝俗"的。他虽然心中有苦闷,对现实感到不满,但并不是终日唉声叹气,倒是很旷达的。他说:"问我心中事,为君前致词:君看我才能,何似鲁仲尼?大圣犹不遇,小儒安足悲!"[32]他看到一个有才能的人在社会上得不到应有发展的情形并不只是他个人如此,是一种普遍现象。[33]他感到这种"鱼目混珍"的社会很不合理,但又没有办法来改变;因此对于自己个人的遭遇说来,也就觉得没有什么可悲的了。在《远别离》中他描述当时的政治社会情形说:"日惨惨兮云冥冥,猩猩啼烟兮鬼啸雨,我纵言之将何补?皇穹窃恐不照余之忠诚。雷凭凭兮欲吼怒,尧舜当之亦禅禹。君失臣兮龙为鱼,权归臣兮鼠变虎。"这简直很像屈原的《离骚》了。他对李林甫、安禄山一班人掌握内外大权,必将引来国家覆灭的危机,感到非常痛心;他的忧思并不仅仅是为了个人的不遇的。"君王制六合,海塞无交兵。壮士伏草间,沉忧乱纵横"[34],他在当时表面上还很太平的局面中,已预感到社会矛盾的严重,有了大乱就要起来的感觉。这时正是天宝之乱起来的前几年,后来事情就真的演变成如他所沉忧的那样了。

这期间他以梁园为中心,北边去过赵、魏、燕、晋,西边去过陕西的邠县和岐山,也到过洛阳,回过寄寓在山东的家里,但都没有长久停留,只是一过再过地到处流连和盘桓。他虽然仍过着痛饮高歌的生活,但这是因为他根本不爱惜钱财,并强自解怀的缘故,实际的光景是相当窘迫的。他在邺中(河北临漳)所写的诗中说:"一身竟无托,远与孤蓬征。千里失所依,复将落叶并。"[35]在新平(陕西邠县)所作的诗中又说:"而我竟何为,寒苦坐相仍。长风入短袂,两手如怀冰。故友不相恤,新交宁见矜。摧残槛中虎,羁绁韝上鹰。何时腾风云,搏击申所能。"[36]他到处漂流,在得不到别人的帮助时,连御寒的衣服都是成问题的。因此即使是在饮酒酣乐的时候,他对当前的现实和自己的遭遇所引起的忧愁实际上也不能完全摆脱;一种不愉快的情绪是会不断地袭击来的。他在《行路难》第一首中说:

> 金樽清酒斗十千,玉盘珍馐直万钱。停杯投箸不能食,拔剑四顾心茫然。欲渡黄河冰塞川,将登太行雪满山。闲来垂钓碧溪上,忽复乘舟梦日边。行路难,行路难,多歧路,今安在!长风破浪会有时,直挂云帆济沧海。

尽管目前的遭遇很偃蹇,甚至有无所适从之感,但他对生活的态度仍然是积极的、倔强的;他相信自己有施展抱负的机会!"大贤虎变愚不测,当年颇似寻常人"〔37〕,他永远是有很高的自信的。

在北方盘旋了几年,他就南下了。他的著名诗篇《梦游天姥吟留别》一诗,一作《别东鲁诸公》,就是在南下前写的。他对于浙江的天姥山、天台山等名胜早已想去游览,以至做梦都在游玩天姥山的景色。这首诗气象恢廓,"千岩万转路不定,迷花倚石忽已暝",也的确是梦游的景象;充分显示了诗人的想象力的丰富。诗中最后说:"且放白鹿青崖间,须行即骑访名山。安能摧眉折腰事权贵,使我不得开心颜!"他批判了那种"摧眉折腰"的仕途生活,他要自由地游览各地壮丽的河山名胜,过一种没有拘束的生活。于是离开东鲁南下了,先到了江苏一带,在广陵(扬州)和金陵都游览了好久。他说:"暝投淮阴宿,欣得漂母迎。斗酒烹黄鸡,一餐感素诚。"〔38〕这是写在淮阴受人招待的情形的。这时他的家还寄寓在山东,他在金陵有《寄东鲁二稚子》一诗,其中说"我家寄东鲁,谁种龟阴田",慨叹家中生计困难,对他的女儿平阳和小儿伯禽非常怀念,说他"肝肠日忧煎"。有朋友到鲁中,他也嘱托去看一下他的稚子伯禽,说"我家寄在沙邱旁,三年不归空断肠"〔39〕,他心中是很挂念的。以后他就"蹭蹬游吴、越",漫游浙江的会稽、永嘉和天台等山水名胜去了。他的朋友任华在《杂言寄李白》中说:"繁花越台上,细柳吴宫侧。绿水青山知有君,白云明月偏相识。"就是叙述他在吴、越的漫游的。"会稽风月好,却绕剡溪回。云山海上出,人物镜中来"[40],这是以前山水诗人谢灵运所遨游歌咏过的地方,自然景色是很美丽的,引起了诗人很高的兴致。但他在游历中所接触到的人物,却很少知音,在同一诗篇中就慨叹"苦笑我夸诞,知音安在哉"! 他的心境是很寂寞的。

公元754年(天宝十三载),他又回到广陵,在那里他却遇到了一位近乎崇拜他的知己朋友,那就是魏万。这时李白已五十四岁,魏万还很年轻,但他们"一长复一少,相看如弟兄"[41],由春至夏,很亲密地过了几个月。魏万后改名魏颢,隐居在王屋山(在山西阳城境),号王屋山人。他为了慕李白的名,想和李白会晤,从前一年的秋天起,到过开封和山东;知道李白南下了,就又找到江苏和浙江,乘兴游览了吴、越的名胜,重复李白的游踪。一直找到广陵才遇见李白。李白说他"东浮汴河水,访我三千里"[42],夸奖他爱文好古,说一见面就知道不是"伫拟(固滞貌)人"。他们以前并不认识,这次李白对魏万的印象是"身著日本裘,昂藏出风尘"[43];魏万对李白的印象是"眸子炯然,哆如饿虎;或时束带,风流酝籍"[44]。于是二人谈得很投机,"相逢乐无限,水石日在眼"[45],常常在一块游览。李白说魏万将来必著大名于天下,到那时不要忘了他和他的儿子明月奴;于是把他的文章都交给魏万,让他给编集。上元中魏万中了进士,就编成了《李翰林集》,并写了一篇序。那时李白尚未逝世,这可以说是李白诗最早编成的一个集子;但现在除了那篇序文外,集子并没有流传下来。他们在广陵盘桓了一阵以后,就同舟入秦淮,至金陵;最后是在金陵相别的。李白写了很长的诗送魏万,说"黄河若不断,白首长相思"[46];魏万也有诗回赠,说"此别未远别"[47],但以后他们就再没有机会见面了。

李白在金陵时的游兴是很高的,他曾和以前"酒中八仙"之一的崔宗之在月夜溯流过白壁山玩月,他穿着宫锦袍坐在船里,两岸看的人很多,但他"顾瞻笑傲,旁若无人"[48]。他有一首诗写这次的游览,其中说:"沧江溯流归,白壁见秋月。秋月照白壁,皓如山阴雪",[49]描写得非常之美丽。另外有一首写他与酒客数人在金陵酒楼玩月,日晚乘醉泛舟由秦淮河访友的诗[50];也说他"草裹乌纱巾,倒披紫绮裘。两岸拍手笑,疑是王子猷(晋时名士)",可以看出他的狂傲不羁之态,是很引人注意的。在《金陵江上遇蓬池隐者》一诗题下,他自注说:"时于落星石上,以紫绮裘换酒为欢";所谓"宫锦袍"或"紫绮裘",大概还是他在长安做翰林供奉时的旧物,这时也拿来换酒吃了。从这里可以看出他的豪兴,江的会稽、永嘉和天台等山水名胜去了。他的朋友任华在《杂言寄李白》中说:"繁花越台上,细柳吴宫侧。绿水青山知有君,白云明月偏相识。"就是叙述他在吴、越的漫游的。"会稽风月好,却绕剡溪回。云山海上出,人物镜中来"[40],这是以前山水诗人谢灵运所遨游歌咏过的地方,自然景色是很美丽的,引起了诗人很高的兴致。但他在游历中所接触到的人物,却很少知音,在同一诗篇中就慨叹"苦笑我夸诞,知音安在哉"!他的心境是很寂寞的。

公元754年(天宝十三载),他又回到广陵,在那里他却遇到了一位近乎崇拜他的知己朋友,那就是魏万。这时李白已五十四岁,魏万还很年轻,但他们"一长复一少,相看如弟兄"[41],由春至夏,很亲密地过了几个月。魏万后改名魏颢,隐居在王屋山(在山西阳城境),号王屋山人。他为了慕李白的名,想和李白会晤,从前一年的秋天起,到过开封和山东;知道李白南下了,就又找到江苏和浙江,乘兴游览了吴、越的名胜,重复李白的游踪。一直找到广陵才遇见李白。李白说他"东浮汴河水,访我三千里"[42],夸奖他爱文好古,说一见面就知道不是"伫拟(固滞貌)人"。他们以前并不认识,这次李白对魏万的印象是"身著日本裘,昂藏出风尘"[43];魏万对李白的印象是"眸子炯然,哆如饿虎;或时束带,风流酝籍"[44]。于是二人谈得很投机,"相逢乐无限,水石日在眼"[45]，常常在一块游览。李白说魏万将来必著大名于天下，到那时不要忘了他和他的儿子明月奴；于是把他的文章都交给魏万，让他给编集。上元中魏万中了进士，就编成了《李翰林集》，并写了一篇序。那时李白尚未逝世，这可以说是李白诗最早编成的一个集子，但现在除了那篇序文外，集子并没有流传下来。他们在广陵盘桓了一阵以后，就同舟入秦淮，至金陵；最后是在金陵相别的。李白写了很长的诗送魏万，说"黄河若不断，白首长相思"[46]；魏万也有诗回赠，说"此别未远别"[47]，但以后他们就再没有机会见面了。

李白在金陵时的游兴是很高的，他曾和以前"酒中八仙"之一的崔宗之在月夜溯流过白壁山玩月，他穿着宫锦袍坐在船里，两岸看的人很多，但他"顾瞻笑傲，旁若无人"[48]。他有一首诗写这次的游览，其中说："沧江溯流归，白壁见秋月。秋月照白壁，皓如山阴雪"，[49]描写得非常之美丽。另外有一首写他与酒客数人在金陵酒楼玩月，日晚乘醉泛舟由秦淮河访友的诗[50]；也说他"草裹乌纱巾，倒披紫绮裘。两岸拍手笑，疑是王子猷（晋时名士）"，可以看出他的狂傲不羁之态，是很引人注意的。在《金陵江上遇蓬池隐者》一诗题下，他自注说："时于落星石上，以紫绮裘换酒为欢"；所谓"宫锦袍"或"紫绮裘"，大概还是他在长安做翰林供奉时的旧物，这时也拿来换酒吃了。从这里可以看出他的豪兴，但同时也可以看出他实际生活的窘迫来。

这时已经是大乱的前夕,他离开金陵之后,就到了安徽的宣城;安禄山起兵的时候(公元755年),他正在宣城。十载的漫游,就这样结束了。"清霜入晓鬓,白露生衣中"〔51〕,诗人也日渐衰老了。

由于年岁大了,社会经历多了。这时期他对当时政治社会的认识就比较更清楚了,对唐代统治集团的不满也更明显起来了。公元751年(天宝十载)四月,杨国忠发动了征云南的战争,在云南大理附近的西洱河,遭遇到强烈的抵抗,结果将兵全部死亡。这本是唐朝统治集团实施穷兵黩武政策的结果。人民苦于征役,不只家庭离散,赋税增多,而且出征的人也都在战争中牺牲了。李白对于这种战争表示了强烈的反对;《古风》第三十四首说:

> 羽檄如流星,虎符合专城。喧呼救边急,群鸟皆夜鸣(以上说征兵紧急)。白日曜紫微,三公运权衡。天地皆得一,澹然四海清(以上说天下本太平)。借问此何为?答言楚征兵!渡泸(金沙江)及五月,将赴云南征。怯卒非战士,炎方难远行。长号别严亲,日月惨光晶。泣尽继以血,心摧两无声。困兽当猛虎,穷鱼饵奔鲸。千去不一

回,投躯岂全生?如何舞干戚,一使有苗平(用舜服有苗的故事,意思是说何如用礼乐文化来感化其他民族呢)"。

当时人民都不愿应募,"杨国忠遣御史分道捕人,连枷送诣军所","于是行者愁冤,父母妻子送之,所在哭声振野"[52]。后来军队不战而败,杨国忠反而掩藏败状,虚报战功。公元754年(天宝十三载)六月又出兵征云南,结果又在西洱河全军覆没,二十万人无一生还。从前一年起,关中一带就水旱相继,老百姓多没有饭吃,这年(公元754年)秋天又霖雨达六十余日,长安附近的房屋都倒塌了好多;物价暴涨,粮食缺少,天灾人祸一起来,人民苦不堪言。这就是天宝之乱前夕的社会景象,李白对此感到了很大的愤慨;他写道:

云南五月中,频丧渡泸师。毒草杀汉马,张兵夺秦旗。至今西洱河,流血拥僵尸。将无七擒略,鲁女惜园葵。咸阳天下枢,累岁人不足。虽有数斗玉,不如一盘粟。[53]

在这首诗的后边,他说他自己是"霜惊壮士发,泪满逐臣衣。以此不安席,蹉跎身世违"。他对人民的灾难与自己的无力感到了很大的痛苦。我们知道李白并不是无原则地反对一切战争的。天宝之乱起来以后,他就渴望能消灭安禄山的胡兵,而且反对唐玄宗的逃跑办法;但他出于同情人民遭遇的精神[54],认为"乃知兵者是凶器,圣人不得已而用之"[55];如果并非"不得已",像唐朝统治集团所发动的征伐战争,他是一贯反对的。"穷兵黩武今如此,鼎湖飞龙安可乘?"[56]这些统治集团人物一面这样穷兵黩武,一面又想望长生成仙,这不是一个很大的讽刺吗?他描写战争的悲惨景象说:"野战格斗死,败马号鸣向天悲。乌鸢啄人肠,衔飞上挂枯树枝。"[57]他还有更多的诗篇是写男子出征后妇女在家庭的痛苦的;例如下面的一首:

青天何历历,明星如白石。黄姑与织女,相去不盈尺。银河无鹊桥,非时将安适?闺人理纨素,游子悲行役。瓶冰知冬寒,霜露欺远客。客似秋叶飞,飘飘不言归。别后罗带长,愁宽去时衣。乘月托宵梦,因之寄金徽(军队所驻的边疆地名)。[58]

这里表现了一种强烈的同情人民不幸遭遇的鲜明态度,我们从这些诗篇中明显地看到了当时人民的痛苦和他们的愿望。在《答王十二寒夜独酌有怀》的长诗中,他更对当时的政治现实提出了深刻的批评,表示了非常的愤慨,而且也说明了自己的处境和态度[59]:

> 昨夜吴中雪,子猷(晋时名士王子猷)佳兴发。万里浮云卷碧山,青天中道流孤月。孤月沧浪河汉清,北斗错落长庚(太白星)明。怀余对酒夜霜白,玉床(井栏)金井冰峥嵘。人生飘忽百年内,且须酣畅万古情!君不能狸膏金距学斗鸡(以狸膏涂鸡首,以金芒施鸡距,皆斗鸡术),坐令鼻息吹虹霓;君不能学哥舒,横行青海夜带刀,西屠石堡取紫袍(唐将哥舒翰,天宝八载以攻取青海石堡城功升官)!吟诗作赋北窗里,万言不直一杯水。世人闻此皆掉头,有如东风射马耳(世俗鄙视文人)。鱼目亦笑我,谓与明月同(明月珠)。骅骝(良马)拳局不能食,蹇驴得志鸣春风。《折杨》、《皇华》(古时不好的歌曲名)合流俗,晋君听琴枉《清角》(《清角》是好的乐曲,而晋平公不配听)。巴人谁肯和《阳春》(高的乐曲),楚地由来贱奇璞(美玉)。黄金散尽交不成,白首为儒身被轻。一谈一笑失颜色,苍蝇贝锦(指谗言)喧谤

声。曾参岂是杀人者？谗言三及慈母惊（用曾子故事）。与君论心握君手，荣辱于余亦何有？孔圣犹闻伤凤麟（叹息君子不遇），董龙（以佞幸而做大官的人）更是何鸡狗！一生傲岸苦不谐，恩疏媒劳志多乖。严陵高揖汉天子（东汉严子陵隐居不仕），何必长剑拄颐事玉阶（何必做官）？达亦不足贵，穷亦不足悲！韩信羞将绛、灌比，祢衡耻逐屠沽儿（不与流俗为伍）。君不见李北海（李邕），英风豪气今何在？君不见裴尚书（裴敦复），土坟三尺蒿棘居！少年早欲五湖去，见此弥将钟鼎疏（早就不愿做官，现在更其如此了）。

李邕和裴敦复都是当时有声名的比较正直的官吏，因为受到李林甫的猜忌，就被罗织罪名来杖杀了。而一些斗鸡之徒反而盛气凌人，扬扬得意。哥舒翰攻青海吐蕃（藏族）时恣意屠杀人民，但这样的人却升官受赏了。那么所谓仕宦或富贵还有什么值得夸耀的呢！鱼目笑珠，楚人贱璞，有才能的人却受尽了这些人的鄙薄和歧视，"吟诗作赋北窗里，万言不直一杯水"，特别是像李白这样"一生傲岸"的文人，那么又何必要做官呢？"且须酣畅万古情"，就饮酒漫游好了：这就是他所得到的结论。

在他到了宣城的时候，安禄山起兵了，唐代历史的转折点的天宝之乱发生了。

* * *

〔1〕上海人民出版社1954年9月初版本在此以后还有一句："他把一种对于自由解放的要求、合理世界的憧憬多半和游仙的想象结合起来，从中寄托了自己的傲岸的不满现实的情绪"，1979年新版删去。——编者注。

〔2〕《书情赠蔡舍人雄》。

〔3〕《赠从弟南平太守之遥》其一。

〔4〕《赠别从甥高五》。

〔5〕《赠从兄襄阳少府皓》。

〔6〕《送侯十一》。

〔7〕〔36〕《赠新平少年》。

〔8〕《送鲁郡刘长史迁弘农长史》。

〔9〕杜甫：《寄李十二白二十韵》。

〔10〕《奉饯高尊师如贵道士传道箓毕归北海》。

〔11〕《古风》其十五。

〔12〕《焦山望松寥山》。

〔13〕《送蔡山人》。

〔14〕《宣州谢朓楼饯别校书叔云》。

〔15〕《梦游天姥吟留别》。

〔16〕《拟古》其三。

〔17〕《古风》其三十。

〔18〕《草创大还赠柳官迪》。

〔19〕《古风》其四十一。

〔20〕《赠嵩山焦炼师》。

〔21〕《暮春江夏送张祖监丞之东都序》。

〔22〕《江上吟》。

〔23〕《月下独酌》其二。上海人民出版社1954年9月初版本在此句后面还有一句："求仙只给他一种对于理想生活的企望，而饮酒则可以直接寄托他的傲岸情绪，使他得到一种豪纵的快感。"1979年新版删去。——编者注。

〔24〕〔25〕《月下独酌》其四。

〔26〕《友人会宿》。

〔27〕《月下独酌》其三。

〔28〕上海人民出版社1954年9月初版本在此句以下还有一句："借以得到一种精神上的解放的愉快。"——编者注。

〔29〕上海人民出版社1954年9月初版本在此句之下还有一段文字："他的'忧思'中当然含有他个人失意的成分在内，但也绝不是专为自己而发的；虽然对于一种有才能的人在社会上得不到应有重视的愤懑是他诗中的一个重要主题，但那主要也是就当时社会的一般情形说的；他看不惯那种是非贤愚不分的昏暗的现实。"——编者注。

〔30〕《赠韦秘书子春》。

〔31〕《与贾少公书》。

〔32〕〔53〕《书怀赠南陵常赞府》。

〔33〕"是一种普遍现象"一句，上海人民出版社1954年9月初版

本原文为"连孔子也不例外"。——编者注。

〔34〕〔35〕《邺中赠王大,劝入高凤石门山幽居》。

〔37〕《梁甫吟》。

〔38〕《淮阴书怀寄王宋城》。

〔39〕《送萧三十一之鲁中,兼问稚子伯禽》。

〔40〕《赠王判官,时余归隐居庐山屏风叠》。

〔41〕〔47〕魏万:《金陵酬翰林谪仙子》。

〔42〕〔43〕〔45〕〔46〕《送王屋山人魏万还王屋》。

〔44〕魏颢:《李翰林集序》。

〔48〕《旧唐书》本传。

〔49〕《自金陵溯流过白壁山,玩月达天门,寄句容王主簿》。

〔50〕《玩月金陵城西孙楚酒楼,达曙歌吹,日晚乘醉著紫绮裘、乌纱巾,与酒客数人棹歌秦淮,往石头访崔四侍御》。

〔51〕《赠崔司户文昆季》。

〔52〕《通鉴》天宝十载夏四月条。

〔54〕"同情人民遭遇的精神"一语,上海人民出版社1954年9月初版本为"一种人道主义的精神"。——编者注。

〔55〕〔57〕《战城南》。

〔56〕《登高邱而望远海》。

〔58〕《拟古》其一。

〔59〕诗中写有李邕、裴敦复及哥舒翰事迹,按李邕、裴敦复在天宝六载被杀,哥舒翰在天宝八载攻吐蕃,则此诗当作于天宝末。"十载漫游"的后期。

从璘与释归

公元755年（天宝十四载）十一月，安禄山率部十五万人，起兵于范阳（北京附近），这就是天宝之乱的开始。一直到公元762年（宝应元年），唐朝军队会同了请来的回纥（维吾尔族）兵，才结束了这次延长到差不多八年的大乱。安禄山起兵的时候，李白五十五岁，正在安徽宣城；到天宝之乱结束的那年，他就在当涂逝世了，活了六十二岁。因此他的大半生虽然是在所谓"开元盛世"度过的，但他在暮年却也饱受了乱离的苦难。从他的诗里可以知道，在天宝之乱以前，唐朝统治集团的腐化奢侈和人民所遭受的天灾人祸的痛苦，已达到了从唐朝成立以来的最高峰，社会上已远不是像他少年时代所经历的那种富庶繁荣的景象了，而安禄山的起兵就使得一切的社会矛盾都表现出来了。从此唐朝的历史面貌就和以前显然不同了，生产力降低，人民生活贫困，也抵抗不住安禄山的兵力,这就结束了历史上所谓"盛唐"的时代。在文学上也有同样的表现,像以前那种富有浪漫精神和追求理想的缤纷多彩的诗歌比较罕见了,更多的是表现社会痛苦和个人得失的悲叹的声音。这次变乱给唐代的历史划了一条界限,也给文学带来了前后不同的特色。

安禄山是唐朝镇守东北边疆的平卢、范阳、河东节度使,拥有强大的兵力,他又大量招收东北各少数族降兵,组成了一个以少数族为主的军事集团[1],在当时的河北地区实际上处于割据状态。安禄山自己原是营州柳城的胡人,他利用唐朝统治者和边疆各族之间的矛盾,乘唐玄宗晚年政治腐败的机会,企图夺取唐朝的政权。他的起兵是地方领兵将领对朝廷的叛变,是统治阶级内部的斗争,但也带有民族斗争的性质。这时国内太平日久,内地的兵很少,战斗力也很差,因此叛军没有遇到什么抵抗,不到两个月,安禄山就攻下洛阳,在那里做了大燕皇帝。公元756年(天宝十五载)六月九日,安禄山攻进潼关,守将哥舒翰率领的二十万人全军覆没,哥舒翰自己也投降了;附近的官吏都潜逃了,叛军直逼长安。安禄山的兵将到处抢掠财物,屠杀人民;唐玄宗并不计划怎样平叛,而于六月十二日夜里,带着杨贵妃、杨国忠等偷偷地向四川逃跑。途中发生马嵬坡事变,唐玄宗镇压不了士兵的愤怒,才将杨国忠和杨贵妃处死。他带领一批官吏逃到了成都。长安失守了;七月十三日,太子李亨在甘肃的灵武即位,就是唐肃宗,当时朝廷的官吏还不足三十人。叛军进入长安后,对人民任意杀戮,抢掠财物,焚烧住宅,长安成了一座恐怖的城市。人民原是不满意唐朝统治者的,但对叛军的残暴尤其痛恨。他们起先还以为这些皇帝大臣们为了自己的地位总不会扔下不管了罢,但结果这些人却都跑掉了,剩下的一些官吏不是向叛军投降就是被叛军杀死。长安一带的人民受不了叛军的骚扰,就自动起来抵抗,唐朝的军队也策划着反攻。公元757年(至德二载)正月,安禄山被他的儿子安庆绪杀死;到九月,唐将郭子仪率领队伍和一部分回纥兵反攻长安得胜,接连收复了长安和洛阳;这年十月,唐肃宗回到了长安。但叛军的势力并没有根本消灭,变乱仍在继续。而且一直到李白逝世,这次变乱还没有完全结束;差不多整个北方都遭受到战乱的骚扰,而所谓盛唐的局面也就从此一去不复返了。

李白对于这次变乱感到非常愤慨,他说:"俯视洛阳川,茫茫走胡兵。流血涂野草,豺狼尽冠缨。"[2]对当时人民所遭受的灾难也感到很痛心,他说:"俗变羌胡语,人多沙塞颜。申包(以亡国的申包胥自比)惟恸哭,七日鬓毛斑。"[3]为什么会成了这种情况呢?他也认识得很清楚:"贼臣杨国忠,蔽塞天聪,屠割黎庶。女弟(杨贵妃)席宠,倾国弄权。九土泉货(各地财富),尽归其

室。怨气上激,水旱荐臻,重罹暴乱,百姓力屈。"[4]这样,他对当时的官军无能和两京失陷感到非常不满:

汉甲连胡兵,沙尘暗云海。草木卷杀气,星辰无光彩。白骨成丘山,苍生竟何罪?函关(潼关)壮帝居,国命悬哥舒(哥舒翰)。长戟三十万,开门纳凶渠!公卿奴犬羊,忠谠醢与菹(正直的人被杀)。二圣(玄宗、肃宗)出游豫,两京(长安、洛阳)遂丘墟。[5]

"白骨成丘山,苍生竟何罪?"人民是没有罪的,负责任的当然应该是所谓"二圣"的皇帝和哥舒翰那些庸朽的将领们!在《北上行》一诗里,他也写出了在那"杀气毒剑戟"的环境中的北方人民的苦难;"惨戚冰雪里,悲号绝中肠。尺布不掩体,皮肤剧枯桑!"而结以"何日王道平,开颜睹天光"的感叹和愿望。他不赞成唐玄宗的那种逃跑的办法,他的著名诗篇《蜀道难》就是为唐玄宗逃难入蜀写的[6],因此说"问君西游何时还?""锦城虽云乐,不如早还家。"诗中竭力描写蜀中自然形势的险恶,"蜀道之难难于上青天",然后说"嗟尔远道之人,胡为乎来哉!"而且剑阁虽然险要,但也可"所守或匪亲,化为狼与豺!"并不能把它当作可以苟安的保障。最后说"侧身西望长咨嗟",他对此是深有感慨的。

他希望对胡人能采取抗击的政策,他相信这种抗击一定可以得到胜利;"敌可摧,旄头灭,履胡之肠涉胡血。悬胡青天上,埋胡紫塞旁。胡无人,汉道昌"[7]。这种爱国精神也使他自己很想去参加平乱的工作:"抚剑夜吟啸,雄心日千里。誓欲斩鲸鲵,澄清洛阳水"[8],"过江誓流水,志在清中原。拔剑击前柱,悲歌难重论!"[9]他也自信如果他有权力,对平乱是会有一些办法的;他说:"三川北虏乱如麻,四海南奔似永嘉(西晋末永嘉之乱)。但用东山谢安石(以谢安自况),为君谈笑静胡沙。"[10]就是这种满腔热忱的爱国精神,促使他参加了永王璘起兵事件。

当唐玄宗逃难到汉中(陕西南郑)的时候,为了整顿官军的力量,就下诏命永王璘为山南东路、岭南、黔中、江南西路四道节度采访使及江陵大都督,保卫东南一带。永王璘是唐玄宗的第十六子;他接到命令后就到江陵,招募将士数万人,并领了舟师顺江东下,想取金陵。这时唐肃宗怕他和自己抢帝位,就命令他到四川觐见唐玄宗,他不从命。于是唐肃宗就调动军队对永王璘采取了包围的形势,不久,他的兵便被消灭了,他也被执受戮。李白就因为从璘获罪,流放夜郎。

唐代的皇位继承权一向很不牢固,有时太子虽已立定,但也可能在复杂的政治斗争中被废,而为他的弟兄所取代。像唐玄宗就不是嫡长,只因为他功业显著,才代替了已立为太子的睿宗嫡长子"成器"而取得帝位。唐玄宗最初立的太子是李瑛,以后又想立寿王瑁,最后才立了唐肃宗。但唐肃宗也是乘安禄山乱时分兵北走,自立为皇帝的。当时中原扰攘,永王璘作为亲王,想乘机建立功业,谋取帝位,那也是很自然的事情。这本是统治者内部的矛盾,是很难说谁正谁逆的。而且当时永王璘是以准备平乱为号召的,东南一带的人很希望能有这样一支抗敌的军队,李白就说:"二帝巡游俱未回,五陵松柏使人哀。诸侯不救河南地,更喜贤王远道来。"〔11〕《新唐书·永王璘传》记载永王璘部下将领季广琛在失败后曾对诸将说:"吾与公等从王,岂欲反耶?上皇播迁,道路不通,而诸子无贤于王(永王璘)者,如总江淮锐兵,长驱雍、洛,大功可成!"当时有许多人都是为了抗敌才参加了永王璘的幕下的。李白也是这样,因此当永王璘请他为僚佐的时候,他就答应了。〔12〕后人对这事议论极多,有许多人为李白的"从逆"而叹息或分辩,其实这都是不必要的。明王穉登《李翰林分体全集序》云:"嗟呼!禄山篡乱,翠华西幸,灵武之位未正,社稷危如累棋。璘以同姓诸王,建义旗,倡忠烈,恢复神器,不使未央井中玺落群凶手。……夫璘非逆而从璘者乃为逆乎!"这话是说得颇有道理的。

安禄山初起兵的时候，李白正在宣城，公元756年（天宝十五载）春，他就到溧阳，在那里和善作草书的张旭相遇，他有《猛虎行》一诗，就是记"溧阳酒楼三月春"与张旭宴别的情形的。其中说：

> 旌旗缤纷两河道（河南、河北州郡），战鼓惊山欲倾倒。秦人半作燕地囚，胡马翻衔洛阳草。一输一失关下兵（指高仙芝兵），朝降夕叛幽蓟城（指常山太守颜杲卿起兵事）。巨鳌未斩海水动，鱼龙奔走安得宁！[13]

又说他自己"有策不敢犯龙鳞，窜身南国避胡尘。宝书玉剑挂高阁，金鞍骏马散故人"。他对国家危急而自己无所用力的情形是感到很悲愤的。这以后他又到剡中，当时向南避难的人很多；他说："洛阳三月飞胡沙，洛阳城中人怨嗟。天津（洛水上桥名）流水波赤血，白骨相撑如乱麻！我亦东奔向吴国，浮云四塞道路赊！"[14]他对北方人民所遭的苦难是很怀念的。以后他就到庐山屏风叠暂时住了下来。"大盗割鸿沟，如风扫秋叶。吾非济代人，且隐屏风叠。"[15]他对自己的只能逃难和隐居是很不甘心的。他在庐山的时候，正好永王璘起兵后东巡到浔阳（九江），因为知道他的声名，就重礼请他去做僚佐。李白在《与贾少公书》中说:"虽中原横溃,将何以救之? 王命崇重,大总元戎(指永王璘为元帅)。辟书三至,人轻礼重,严期迫切,难以固辞。"可见永王璘是再三要请他出来的。李白本有用世和平乱的要求;永王璘既是以抗明平乱为号召的,他自然也希望能借此贡献出自己的力量。"试借君王玉马鞭,指挥戎虏坐琼筵。南风一扫胡尘静,西入长安到日边!"〔16〕因此他之参加永王璘的幕中,完全是出于一种爱国心的驱使,是想去消灭敌人的。在永王璘军中,他作有《在水军宴赠幕府诸侍御》一诗,写他从军后的心境最清楚:

> 月化五白龙,翻飞凌九天。胡沙惊北海,电扫洛阳川。虏箭雨宫阙,皇舆成播迁。英王(永王璘)受庙略(兵谋),秉钺清南边。云旗卷海雪,金戟罗江烟。聚散百万人,弛张在一贤。霜台降群彦,水国奉戎旃(军旗)。绣服开宴语,天人借楼船。如登黄金台,遥谒紫霞仙。卷身编蓬下,冥机四十年。宁知草间人(自谓),腰下有龙泉(宝剑)? 浮云在一决,誓欲清幽、燕!愿与四座公,静谈金匮篇(兵书)。齐心戴朝恩,不惜微躯捐。所冀旄头(胡星)灭,功成追鲁连(如鲁仲连一样功成身

退,不受爵赐)。

他的"旄头灭"和"清幽、燕"的心是很坚决的;他不惜牺牲,不为爵赏,只愿尽量贡献出自己的力量。这就是他开始参加永王璘幕中时的心情。

不久,永王璘兵败了;军心涣散,参加的人死亡了很多,余下的也都逃散了。"主将动谗疑,王师忽离叛!自来白沙(今江苏仪征)上,鼓噪丹阳岸。宾御如浮云,从风各消散。舟中指可掬,城上骸争爨。"[17]李白自己也由丹阳匆匆地向南逃,"草草出近关,行行昧前算。南奔剧星火,北寇无涯畔"[18]。这时是公元757年(至德二载)二月,他在永王军中只有两三个月的样子,这位五十七岁的老诗人就经历了这样的一番灾难。他逃到彭泽,但随后就被捕入浔阳狱中。据说按罪本是当诛的,因为有郭子仪的援救,才改为流放[19];到第二年,他就受到了长流夜郎的处分。

他在浔阳狱中的时候,经过当时的宣慰大使崔涣和御史中丞宋若思的推复清雪,认为罪薄宜赦。那时宋若思正率兵赴河南,还请他参谋军事,并上书唐肃宗荐李白可用,但唐肃宗不允。李白在浔阳狱中有上崔涣的诗,说"能回造化笔,或冀一人生"[20],又有《上崔相百忧草》,其中说:"星离一门,草掷二孩。万愤结缉,忧从中催!"又有《为宋中丞自荐表》,用宋若思的口气上表说:"臣所管李白,实审无辜。……岂使此人名挂于迥而怕桥当年!"他对自己的遭遇感到非常悲愤,"哀哉悲夫,谁察余之贞坚!"[21]他希望这些人能帮忙把他释放。在狱中他还作有《万愤词投魏郎中》,其中说:

> 兄九江兮弟三峡,悲羽化之难齐。穆陵关北(指东鲁)愁爱子,豫章(南昌)天南隔老妻。一门骨肉散百草,遇难不复相提携。树榛拔桂,囚鸾宠鸡!舜昔授禹,伯成耕犁(用伯成子高故事)。德自此衰,吾将安栖?好我者恤我,不好我者何忍临危而相挤!

他的儿子仍在东鲁,妻子大概是在他去庐山时一块到江西的。这时一家星散,他觉得很凄然;想到这种"囚鸾宠鸡"的黑白颠倒的社会,也感到非常气愤! 这年虽然长安和洛阳都收复了,但国事也并没有可以乐观的地方。当初回纥派兵帮助反攻的时候,就和唐肃宗约定,两京收复后土地人民归唐朝,金帛妇女归回纥。因此洛阳收复后,回纥曾连续地抢掠了三天,而且也带来了以后长期的祸害。同时吐蕃也趁这时占领了西北的地方,强大的唐朝已一变而为一个孱弱的国家了。国家的局势和自己的遭遇，都引起了他的愤懑，但他只能在狱中作作诗，读点书，听候别人的安排。据《送张秀才谒高中丞诗序》，那时他正在狱中读《史记·留侯传》，他的愤慨是很深的。他想他的妻子一定会来看他，并一定正在设法营救；他写了《在浔阳非所寄内》一诗：

> 闻难知恸哭，行啼入府中。多君同蔡琰（后汉董祀妻），流泪请曹公（蔡琰曾向曹操求赦其夫）。知登吴章岭（在浔阳附近），昔与死无分。崎岖行石道，外折入青云。相见若悲叹，哀声那可闻！

这景象确实是很凄凉的。

公元758年（乾元元年），五十八岁的老诗人终于受到了长流夜郎（贵州遵义一带）的处分。他由浔阳出发，泛洞庭，上三峡，抛妻别子，走上了流窜的长途！他说："我愁远谪夜郎去，何日金鸡放赦回！"[22]又有《流夜郎题葵叶》一诗："惭君能卫足，叹我远移根！白日如分照，还归守故园。"触物增慨，他有点伤感，觉得自己还不如向日葵似的可以用叶子来卫护自己的根株！刚刚走到常德附近的木瓜山，他就说："客心自酸楚，况对木瓜山。"[23]

木瓜的味是酸的,但他的心更酸!"远别泪空尽,长愁心已摧。三年吟泽畔,憔悴几时回!"[24]他感到自己的遭遇完全和我们伟大的诗人屈原的被放逐相同了。

他走的时候,他妻子的弟弟宗璟送他,到乌江(河阳山),他作诗留别说:"惭君湍波苦,千里远从之。"又对宗璟说他很对不起他的妻子:"我非东床人,令姊忝齐眉。浪迹未出世,空名动京师。适遭云罗解,翻谪夜郎悲。"[25]据魏颢《李翰林集序》,李白始娶许氏,生一子一女,子名明月奴,女出嫁后就死了。后来又娶刘氏,刘氏死后又在东鲁娶过妻,生一子名玻璃,大概就是诗中常常提起的稚子伯禽。最后又娶的是宗氏。他从宣城到庐山,大概就是与宗氏相偕的。以后宗氏即留居在豫章(南昌),他对这次离别感到很难过,在途中又写了《南流夜郎寄内》一诗:

夜郎天外怨离居,明月楼中音信疏。北雁春归看欲尽,南来不得豫章书。

这种流放的确是不知道何时才能回来的,"夜郎万里道,西上令人老"[26],他这时已经五十八岁了;因此心中充满了生离死别的凄凉的感觉。

流放后的第二年,他还没有到达夜郎,在刚到了巫山的时候,就遇赦了。这也并不是因为知道他有冤屈,而是为了册立太子和天旱而施行的全国一般的大赦,不过他也总算被赦在内了。万里流徙,一旦释归,他当然是很高兴的。他说:"去国愁夜郎,投身窜荒谷。半道雪屯蒙(遇赦),旷如鸟出笼。"[27]又说:"传闻赦书至,却放夜郎回。暖气变寒谷,炎烟生死灰。"而且立刻就想到"安得羿善射,一箭落狺头"[28],他对当时的国事仍然很关心。释归后,他就经江夏、岳阳,最后又到了浔阳。他在江夏时所作的诗中说:"天地再新法令宽,夜郎迁客带霜寒!""有似山开万里云,四望青天解人闷。人闷还心闷,苦辛长苦辛!愁来饮酒二千石,寒灰重暖生阳春。"[29]经历了这次苦难,他的心境又和以前相似了,他恢复了酣饮高歌的生活。对于郭子仪等的克复两京,他感到很高兴;"愧无秋毫力,谁念砾铄翁!"[30]但也感到自己老了。在岳阳,他遇到贬在长沙的诗人贾至,他们在龙兴寺里坐赏过雨后滟湖的景色[31],也一块乘舟泛过洞庭。在他正要流向夜郎的时候,他们曾经见过面,但那时的留别是很凄然的,"割珠两分赠,寸心贵不忘。何必儿女仁,相看泪成行!"[32]这时又见面却不同了,一方面个人的灾难已过,而南方环境在当时毕竟还是比较安定的;一方面两京收复,国家的局面也有了转机。于是他们诗酒盘桓，都恢复了一种愉快的情绪。李白在与贾至游洞庭的诗中说：

　　南湖秋水夜无烟，耐可乘流直上天！且就洞庭赊月色，将船买酒白云边。[33]

贾至也有与李白同泛洞庭湖的诗，因为他们不止游过一次，当然也不一定是同时作的；但我们从诗中，是可以看出他们这时的心境来的：

　　枫岸纷纷落叶多，洞庭秋水晚来波。乘兴轻舟无近远，白云明月吊湘娥！[34]

李白已恢复了他一贯的乐观情绪。这年他遇到了一个十一岁的孩子韦渠牟，觉得很聪明，便授以"古乐府之学"[35]；李白待人一向是很热诚的。这时他对国事也仍然很关心，因为胡兵的变乱仍未平定，他说："中夜四、五叹，常为大国忧。"[36]因此他也很希望能再出来做一番事业，他相信他仍是可以贡献力量的。"今圣朝已舍季布，当征贾生。开颜洗目，一见白日"[37]；他还希望朝廷能够征召他，但这希望自然是只有落空了。当时的统治者是不会这样尊重人才的。

自释归后,最后他又回到了浔阳。在那里住了一些时间以后,他就泛长江重游金陵,往来于宣城、历阳诸地;以在宣城流连的时间较久。以后从公元760年(上元元年)到公元762年(宝应元年),这三年间的漫游,可以说是他生平最后的漫游,而且他就在这次漫游中结束了他的一生。

＊　＊　＊

〔1〕《新唐书》卷二二五上《逆臣传》说安禄山"养同罗、降奚、契丹曳落河(壮士之意)八千人为假子",这是他最基本的队伍;后来又并九姓胡阿布思部,所以兵将很多是少数族。其亲信部将史思明、孙孝哲等也是少数族人。

〔2〕《古风》其十九。

〔3〕《奔亡道中》其四。

〔4〕《为宋中丞请都金陵表》。

〔5〕〔26〕〔28〕〔36〕《经乱离后,天恩流夜郎,忆旧游书怀赠江夏韦太守良宰》。

〔6〕萧士赟《分类补注李太白集》解释《蜀道难》说:"盖太白初闻禄山乱华、天子幸蜀时作也。"今从萧说。此外对这诗还有各种不同的解释,如范摅《云溪友议》以为这是为严武危害杜甫作的,沈括《梦溪笔谈》以为这是为章仇兼琼作的,胡震亨《李诗通》及顾炎武《日知录》则以为只是乐府旧题,别无用意。这些说法都并无确证;与李白生平思想

及其他作品联系起来看,应以萧说为是。孟棨《本事诗》记载贺知章曾见过这诗,但这传说也不可信;它开头就说"李太白初自蜀至京师",而李白并不是由蜀中到长安的。

〔7〕见《胡无人》。段成式《酉阳杂俎》说:"禄山反,太白制《胡无人》。"清王琦不信此说,以为是开元、天宝之间所作,不可信。

〔8〕《赠张相镐》其二。

〔9〕《南奔书怀》。

〔10〕《永王东巡歌》其二。

〔11〕《永王东巡歌》其五。

〔12〕李白在《经乱离后,天恩流夜郎,忆旧游书怀赠江夏韦太守良宰》一诗中,有"空名适自误,迫胁上楼船。从赐五百金,弃之若浮烟"等语,后人常常据此来为李白开脱,说他的从璘是被迫的;但这诗作于永王璘事败之后,与其他作品中所说的情形不符,因知这是一种惧祸掩饰的说法,不是事实真相。

〔13〕这里关于《猛虎行》的解释是采用了清王琦的说法。萧士赟的说法与此不同。但与史实欠合,不足信。

〔14〕《扶风豪士歌》。

〔15〕《赠王判官,时余归隐庐山屏风叠》。

〔16〕《永王东巡歌》其十一。

〔17〕〔18〕《南奔书怀》。

〔19〕《新唐书》本传。

〔20〕《系浔阳上崔相涣》其一。

〔21〕《雪谗诗赠友人》。

〔22〕《流夜郎赠辛判官》。

〔23〕《望木瓜山》。

〔24〕《赠别郑判官》。

〔25〕《窜夜郎,于乌江留别宗十六璟》。

〔27〕〔30〕《流夜郎,半道承恩放还,兼欣克复之美,书怀示息秀才》。

〔29〕《江夏赠韦南陵冰》。

〔31〕见《与贾至舍人于龙兴寺剪落梧桐枝,望灉湖》。

〔32〕《留别贾舍人至》其二。

〔33〕《陪族叔刑部侍郎晔及中书贾舍人至游洞庭》其二。

〔34〕贾至:《初至巴陵与李十二白、裴九同泛洞庭湖》其二。

〔35〕见《唐诗纪事》。

〔37〕《江夏送倩公归汉东序》。

凄凉的暮年

"烈士击玉壶,壮心惜暮年!三杯拂剑舞秋月,忽然高咏涕泗涟。"[1]公元760年(上元元年)他已经六十岁了,虽然已是暮年,但诗人慷慨高歌的壮怀仍未稍减,他的豪放的精神不但并未让环境消磨掉,反而更加强烈了。他的朋友任华说他"平生傲岸其志不可测,数十年为客未尝一日低颜色"[2],这是很能概括他一生的主要精神的;他鄙视和他接触的那些官吏们,因此他的态度永远是傲岸的。但到了暮年,他毕竟感到自己的抱负和理想是很难有实现的机会了,也不能没有一点感慨,"我发已种种,所为竟无成"[3];所差堪自慰的也只有诗歌的创作而已,"学剑翻自哂,为文竟何成!剑非万人敌,文窃四海声"[4]。这时他想到要更用力来作诗了,"去岁左迁夜郎道,琉璃砚水长枯槁。今年敕放巫山阳,蛟龙笔翰生辉光"[5]。释归以后,他的创作欲又旺盛起来了。他说:"我志在删述,垂辉映千春。"[6] 他觉得自己应该在著作上多用工夫。他以为自从《诗经·大雅》以后,可做诗歌典范的作品太少了,自己应该有责任改变魏、晋以来追求形式美的绮丽作风;但又想到自己的年力已衰,就不禁叹息"《大雅》久不作,吾衰竟谁陈"[7] 了。他对自己的创作主张和创作才能都是很有自信的,他以为诗文应该与世教有关;对于那种只是为了考试和做官才作诗文的人,他非常看不起。《古风》第三十五首说:

> 丑女来效颦,还家惊四邻。寿陵失本步,笑杀邯郸人!一曲斐然子,雕虫丧天真。棘刺造沐猴,三年费精神。功成无所用,楚楚且华身。《大雅》思文王,颂声久崩沦。安得郢中质,一挥成风斤。

这可以说是他对诗歌创作的理论。他反对模仿,以为模仿的作品不过像东施效颦、邯郸学步一样,这样的雕虫小技是有害于作品的自然真实的。他也反对诗歌的形式主义和把作诗当作是求名利的手段。他觉得好的诗歌应该像《诗经》的雅、颂一样,能够代表那个时代,并且和世教有关;诗人应该有所创造,那才是诗。当然所谓雅、颂的真正精神是什么那是另外一个问题；这只说明他不满意六朝以来以及当时诗歌的一般倾向，觉得应该加以改革，应该创造一种新的风格，有一种新的精神来表现那个时代，并且能有益于世道人心。这样的一种看法在当时来说，不只是比较健康的，而且它还可以帮助我们来了解李白诗歌的主要精神和艺术特色。

他从浔阳先到了金陵。"金陵空壮观，天堑（长江）净波澜，醉客回桡去，吴歌且自欢！"[8]过的仍是饮酒游览的生活。他的《金陵凤凰台置酒》诗中说："豪士无所用，弹弦醉金罍。东风吹山花，安可不尽杯！"在游赏之中他也流露出不少的感慨。安史之乱仍在北方蔓延，国家糜烂，而自己却只能弹弦饮酒，他也不能没有感慨。从公元759年（乾元二年）史思明打败唐军，杀死安庆绪，自己做了大燕皇帝后，洛阳又被占领，局势严重起来了。公元761年（上元二年），史朝义杀死了他父亲史思明，率兵向南骚扰，唐太尉李光弼领大军百万，出镇临淮，抵抗史朝义的胡兵。李白听了这消息很兴奋，他曾请缨参加，但半道上因为生病又回来了。他有《闻李太尉大举秦兵百万，出征东南，懦夫请缨，冀申一割之用，半道病还，留别金陵崔侍御十九韵》一诗。其中说：

太尉杖旄钺，云骑绕彭城。三军受号令，千里肃雷霆。函谷绝飞鸟,武关拥连营。意在斩巨鳌,何论鲙长鲸!恨无左车略,多愧鲁连生(自己恨无李左车及鲁仲连的本领)。拂剑照严霜,雕戈鬘胡缨。愿雪会稽耻,将期报恩荣。半道谢病还,无因东南征!

他这时已六十一岁,第二年就逝世了,他的壮心虽未消减,但身体想来已很衰弱了。"天夺壮士心,长吁别吴京(金陵)!"[9]于是他叹息地离开了金陵,往来于宣城、历阳二郡间,住的时间比较长的是宣城。

李白平生最佩服的诗人是南齐的谢朓,宣城是谢朓做过太守的地方,有许多遗迹都能够引起后人的怀念,因此他对宣城这地方是很有好感的。他诗中怀想和赞扬谢朓的地方很多,他"秋登宣城谢朓北楼",就"临风怀谢公";秋夜泛月独酌,就想到"玄晖(谢朓字)难再得,洒洒气填膺"[10]。这也并不是单纯地凭吊古迹,他对谢朓的诗也很喜欢,对它的艺术评价很高。他说"我吟谢朓诗上语,朔风飒飒吹飞雨"[11],这是称赞谢朓《观朝雨》诗中"朔风吹飞雨,萧条江上来"的诗句的;又说"解道澄江净如练,令人长忆谢玄晖"[12],这是称赞谢朓《晚登三山还望京邑》诗中"余霞散成绮,澄江净如练"的名句的。他的《宣州谢朓楼饯别校书叔云》一诗说：

> 弃我去者昨日之日不可留，乱我心者今日之日多烦忧！长风万里送秋雁，对此可以酣高楼。蓬莱文章建安骨，中间小谢又清发。俱怀逸兴壮思飞，欲上青天揽明月。抽刀断水水更流，举杯销愁愁更愁。人生在世不称意，明朝散发弄扁舟。

这首诗是可以解释他喜爱谢朓的原因和说明他对谢朓诗的评价的。他认为自从建安以后，诗就走上了追求形式的绮丽的道路。单就这五百多年中的诗人来说，只有谢朓的诗还可以说有清新的风格，因此他特别称赞"诗传谢朓清"[13]。清王士禛在《论诗绝句》中说他"一生低首谢宣城"，就是从这种评价中看出的。齐、梁诗本来可以说是由古诗到近体诗的桥梁，谢朓的诗仍保有古诗的那种劲直的风骨，但又有一种类似近体的格律语调的和谐，因此读来就容易使人有一种清新的感觉了。唐代诗人本多渊源六朝，而李白的诗也是最富于清新自然的艺术特色的，因此他就特别喜欢谢朓了。此外可能与谢朓诗中所歌咏的内容也有些关系。我们知道谢朓的诗多写山水，但也写都邑；写仕宦，但也写隐遁；而且常常是写这二者中的矛盾。谢朓是做过官的，他的诗中也常常有一些怀才不遇和受人谗毁的感慨。这些都是比较容易投合诗人李白的爱好的。因此他在忧愁烦闷时，就很容易想起谢朓的诗来了。"明朝散发弄扁舟"的那种意境，就和谢朓的诗很相似。

他暮年的生活是很穷困的。在以前漫游的那些年中，因为他的社会声誉很高，诗名很大，因此到了一个地方，常常有一些地方官吏或文人武将等招待馈赠，他就纵情地饮酒游览，赠给那些人一首诗，就算回答盛意了；过些时又再换一个地方。但自流放释归以后，似乎就不像以前那样可以任情游览了。那些人可能因为他是"从逆"过的，对他就疏远了，因此他最后这几年的生活就过得很窘迫。他在《赠友人》这三首诗中说他"岁酒上逐风，霜鬓两边白"，以下就叙述自己的穷困而向人告借济急了：

弊裘耻妻嫂（以苏秦贫穷时自比），长剑托交亲（用冯煖客孟尝君故事）。夫子秉家义，群公难与邻。莫持西江水，空许东溟臣（用《庄子》上的故事。意谓所需甚急，勿以将来推托）。他日青云去，黄金报主人。

有时连饮酒的钱也没有；有一次他在路上遇见他的一个从甥，想要

一块去饮酒,但又没有钱,就把多年悬在腰间的宝剑也拿来换酒吃了。下面是他的《醉后赠从甥高镇》一诗:

马上相逢揖马鞭,客中相见客中怜。欲邀击筑悲歌饮,正值倾家无酒钱。江东风光不借人,枉杀落花空自春。黄金逐手快意尽,昨日破产今朝贫。丈夫何事空啸傲,不如浇却头上巾!君为进士不得进,我被秋霜生旅鬓。时清不及英豪人,三尺童儿唾廉蔺(廉颇、蔺相如)。匣中盘剑装鲻鱼(鱼皮剑鞘),闲在腰间未用渠。且将换酒与君醉,醉归托宿吴专诸(战国时吴国勇士)。

从"醉归托宿吴专诸"这句看来,可能他这时是寄住在一位民间侠士的家里。暮年的李白似乎除了他所经常交往而又非常鄙视的那个庸俗官吏们的圈子以外,和劳动人民也有了比较经常的接触,而且似乎在那里得到了他所珍惜的一种真实纯洁的友情。下面是他的《宿五松山下荀媪家》一诗:

我宿五松下,寂寥无所欢。田家秋作苦,邻女夜舂寒。跪进雕胡饭(菰米),月光明素盘。令人惭漂母,三谢不能餐。

他对那些贵族官吏们是"数十年为客未尝一日低颜色"的[14]，但这次在田家受到这种简陋的招待时，他却为那种辛勤劳作和诚挚的感情而衷心地感到惭愧了。在宣城，他写过《哭宣城善酿纪叟》，这个酿酒的老人使李白很怀念："纪叟黄泉里，还应酿老春（酒名）。夜台无晓日，沽酒与何人！"在安徽泾县，他和桃花潭的一个农民汪伦建立了深厚的交情；他的《赠汪伦》诗说："李白乘舟将欲行，忽闻岸上踏歌声。桃花潭水深千尺，不及汪伦送我情！"这样的诗在李白的集子中虽然不多，但他对这些人确乎没有表示过傲岸的态度，而是流露了一种深厚诚挚的感情的。但年华耗尽，他已快要离开人间了。

公元762年（宝应元年），因为衰病交加，生活太窘迫了，他就到安徽南部的当涂，去投靠他的一位族叔李阳冰。李阳冰在当时以善篆书知名，是当涂的县令。李白在《献从叔当涂宰阳冰》诗中说：

> 小子（自称）别金陵，来时白下亭（金陵城外驿亭名）。群凤怜客鸟，差池相哀鸣。各拔五色毛，意重太山

轻（指金陵诸人于白下亭饯行，各有所馈赠）。赠微所费广，斗水浇长鲸！弹剑歌《苦寒》，严风起前楹。月衔天门晓，霜落牛渚清（天门、牛渚都是当涂的山名）。长叹即归路，临川空屏营（彷徨貌）！

他离开金陵时还得到过别人的一些馈赠，但"斗水浇长鲸"，无济于事，在流浪中早已花光了。这时彷徨长叹，只有希望李阳冰帮助他。他到当涂后不久，就病重了。在病中他把诗稿都交给了李阳冰，这是他一生精力的结晶，请李阳冰替他编集作序。就在这年十一月，他就病逝在当涂了，年六十二岁。逝世前作有《临终歌》[15]：

大鹏飞兮振八裔，中天摧兮力不济。余风激兮万世，游扶桑兮挂石袂。后人得之传此，仲尼亡兮谁为出涕！

他一向爱以大鹏自比，在《大鹏赋》和《上李邕》诗中，都有相同的表现；他喜爱像《庄子·逍遥游》中所描写的"其翼若垂天之云"、"抟扶摇而上者九万里"的那种自由无碍的伟大气魄。这表现了一种渴望摆脱社会羁绊和解放自己的要求，而且对于那种安于现状的像鸠雀一样的庸俗的人们表示了一种蔑视的态度。但现实是残酷的，他虽然始终都有很强的自信力，而且富有乐观的情绪，但"中天摧兮力不济"，他知道自己的生命现在就要完结了。[16]诗人就在这样的感慨中结束了他的一生。

这年官军收复洛阳，是安史之乱的最后一年，但李白已不能再关心这些事情了。他逝世后就葬在当涂县采石的龙山东麓。李阳冰把他的作品编为《草堂集》十卷，并写了一篇序，序中说："当时著述，十丧其九，今所存者，皆得之他人焉。"可见他的作品在当时已经散失了很多，因此韩愈在《调张籍》诗中说："李杜文章在，光焰万丈长。……平生千万篇，金薤垂琳琅。……流落人间者，泰山一毫芒。"他死后留有一子伯禽，未做官，于公元792年（贞元八年）逝世。[17]公元817年（元和十二年），他的朋友范伦的儿子范传正做宣歙观察使，曾在宣州访问过他的后裔，当时只有伯禽所生的二女，都已经和当地的农民结了婚。她们说："有兄一人，出游一十二年，不知所在。"[18]她们并且说，李白的坟墓已日益摧圮，又说李白生前很喜爱谢朓所常去的"谢家青山"。范传正接受了李白孙女们的要求，遂把坟墓迁葬在当涂东南的青山之阳。范传正还写了一篇《唐左拾遗翰林学士李公新墓碑》，铭文中说："谢家山兮李公墓，异代诗流同此路。"这时距李白的逝世已经五十五年了。范传正又重新搜集李白遗稿,编为文集二十卷。但现在李阳冰"《草堂集》本"及"范传正本"都没有流传下来。

关于李白的死,后人有种种不同的传说。唐项斯《经李白墓》诗说:"夜郎归未老,醉死此江边。"《旧唐书》也说他是饮酒过度死的,可见在唐代就已经有醉死的传说了。五代王定保的《唐摭言》说他是醉游采石江中,入水捉月而死的;宋洪迈《容斋五笔》也记载此事,不过上面加了"世俗言"几字。李白的病死见于李阳冰、李华、刘全白、范传正等当时人的许多记载,当然是无可置疑的。但这些传说也都表示了后人对他的怀念,并不是毫无意义的。范传正写的《墓铭》中说:"至今尚疑其醉在千日,宁审乎寿终百年。"饮酒是李白生活中的主要特征,醉死的传说是能够突出他的傲岸不羁的性格的。至于水中捉月而死的传说,那就更富于浪漫气息,因为月亮在李白的诗中是一种高尚皎洁的象征,这传说本身就表示了他对于一种高洁理想的追求,也表示了他在后人心目中的印象;而这种传说从唐末五代就盛行起来了。"世俗言"三字就清楚地显示了它的民间传说的性质,也清楚地显示了诗人李白在人民心目中的地位和评价。

他流离坎坷了一生,这是在封建社会里一个伟大的诗人常常会遭到的悲剧。他自己说"岂使此人名扬宇宙而枯槁当年",这其实就是他生平真实的遭遇。他虽然枯槁终身,但他的不朽的诗篇,却毕竟是"名扬宇宙"了。他在中国人民的心目里,一直都是一个有骨气的正直坦率而又富有才能的人物。虽然他的诗篇内容中也有其消极的一面,有许多个人穷达的因素,例如对于功名富贵及豪奢生活的羡慕,以及对于求仙访道和"及时行乐"的歌咏等,这些当然都是受了历史条件和他自己的阶级地位的影响的,是应该加以批判的部分;但就他一生中的主要精神说,他从不甘于"摧眉折腰事权贵",他要"不屈己、不干人";那就是说他不愿意"屈己"来取得那些他所想要的东西。他所憧憬的和不满的都是从当时现实出发的,因而在一定程度上也都反映出了当时人民的痛苦和愿望。他很自负,也很傲岸,甚至有时有点夸诞,但他所接触的对象都是那批庸俗的官吏,无宁说这种自负和傲岸是适当的,它本身就包含了对这批人的行为的强烈的批判意义。他诗中也有一些"及时行乐"和"浮生若梦"的消极方面的表现,但这并不是他作品中的主要部分;就整体看来,他对现实人生的态度一贯是积极的、进取的,并不是游戏人间的。在那个社会里他看到过许多不合理的现象,这些现象与他所追求的东西都是不相容的,他不满这些现象,要求解脱这些社会的羁绊;这种精神本身[19]就是健康的和积极[20]的,它对当时的社会含有深刻的批判意义。他觉得自己很有才能,而一个有才能的人是应该受到社会的尊重的,因此他对那种"树榛拔桂"的社会感到很愤懑。他生平虽然受到了沉重的抽折,但他不仅没有因此而改变他的态度,反而对现实认识得更清楚了。而且更重要的,他把这种感情和精神都用诗歌的形式表现了出来。他写了许多在艺术上有高度成就的诗篇;这就使他在人民的心目中更具体,而对后人的影响和感染力也就更大了。

*   *   *

〔1〕《玉壶吟》。

〔2〕〔14〕任华:《杂言寄李白》。

〔3〕《留别西河刘少府》。

〔4〕《经乱离后,天恩流夜郎,忆旧游书赠江夏韦太守良宰》。

〔5〕《自汉阳病酒归,寄王明府》。

〔6〕〔7〕《古风》其一。

〔8〕《金陵三首》其一。

〔9〕《闻李太尉大举秦兵百万,出征东南,懦夫请缨,冀申一割之用,半道病还,留别金陵崔侍御十九韵》。

〔10〕《秋夜板桥浦泛月独酌怀谢朓》。

〔11〕《酬殷明佐见赠五云裘歌》。

〔12〕《金陵城西楼月下吟》。

〔13〕《送储邕之武昌》。

〔15〕李华:《故翰林学士李君墓志序》中说他"年六十有二,不

偶，赋《临终歌》而卒"。今本误作《临路歌》。

〔16〕上海人民出版社1954年9月初版本在此文以下还有一段："以前西狩获麟，孔子见了还知道是麒麟，并且为之出涕；现在大鹏中道而摧，虽然'余风激兮万世'，但世上既没有像孔子那样的人，自然就很难希望有人为大鹏的遭遇而痛惜了。"——编者注。

〔17〕〔18〕范传正：《唐左拾遗翰林学士李公新墓碑》。

〔19〕此句上海人民出版社1954年9月初版本为"这些现象都是与他的理想和人道主义精神相冲突的"。——编者注。

〔20〕此句之下，上海人民出版社1954年9月初版本还有"要求自由"一语。——编者注。

诗歌的艺术成就

我们在上面已经把李白一生的主要经历和思想发展概括地叙述完了。李白之所以为人民爱戴，主要的是因为他创作了许多灿烂的诗篇，他是中国文学史上有数的伟大作家之一。而我们之所以要知道他的生平，主要的也是为了帮助我们更深刻地了解他那许多富有鲜明个性的作品的缘故。他的诗篇自来就被认为是诗歌的典范作品，他的名字向来是与屈原、杜甫等人并列的。他那些著名的诗篇都具有一种强烈的吸引人的艺术力量，而且就是以这种艺术力量在历史上争取到了他自己的存在和地位。因此在叙述过他的生平以后，我们应该再来看一下他的诗歌的成就和特色。

李白诗的一个重要的内容，是对于风景优美的祖国山河的描绘与歌颂。他走过很多的地方，用他自己的话说，就是"观奇遍诸岳"[1]。他对祖国的壮丽山河有一种热爱的感情，同时当然也由于他善于用艺术的手腕来表现那些美丽的景物,以引起读者的想象和爱好的情绪,因之那些诗篇读起来就都非常动人了。他所喜爱的自然景色也并不是那种引导人远离现实和栖遁山林的幽闲静谧的"图案",他说"头陀云月多僧气,山水何曾称人意"[2];而是那种像"峥嵘崔嵬"的蜀道、"势拔五岳"的天姥山、"登高壮观"的庐山等,他喜爱那种雄伟壮丽、使人胸襟开朗的广阔的景色。他自己说"一生好入名山游"[3],以前人说"李太白周览四海名山大川,……故其为诗疏宕有奇气"[4]。自然景物的壮丽也影响了他的诗歌风格的形成。譬如下面的一首《望庐山瀑布》其二:

> 日照香炉(峰名)生紫烟,遥看瀑布挂前川。飞流直下三千尺,疑是银河落九天!

他用单纯的语言和活动的形象,写出了壮美的自然景色,"银河"的譬喻也是非常之新鲜具体的。苏东坡曾称赞这首诗说:"帝遣银河一脉垂,古来惟有谪仙词。"这首诗的确是将飞流直下的瀑布的景象生动地呈现出来了。李白写过很多描写自然景物的诗,这些诗都是富有那些景物本身的具体色彩的,这就需要作者能够把捉他所描写的那些对象的具体特点,而又能用动人的形象和诗的语言来加以表现。在表现方法上,他也是丰富多样,并不重复的;譬如另外一首也是写庐山瀑布的诗,就另有它的情况。

  西登香炉峰,南见瀑布水。挂流三百丈,喷壑数十里。欻如飞电来,隐若白虹起。初惊河汉落,半洒云天里。仰观势转雄,壮哉造化功!海风吹不断,江月照还空。

前一首是远望景象,写出了在阳光下面,满山烟霞、瀑布直下的壮观。这一首却是登峰近看,对于水流的急欻是更易领会了;从近处举首仰观,瀑布显得尤其壮伟。"海风吹不断,江月照还空"二句,不用譬喻,只用白描和联想的手法来写临空而下的瀑布实景,尤其有一种单纯自然的美丽。他善于写动态中的景物,譬如《望天门山》一诗:

  天门中断楚江开,碧水东流至此回。两岸青山相对出,孤帆一片日边来。

这样就能使读者对他所写的景色具有一种像一幅图画似的全貌地呈

现在面前的感觉；而且那景色是在动荡中的，使人有一种恍如置身其中的亲切的实感。他也常常用一种夸张的手法来形容他所写的对象，例如：

> 西岳峥嵘何壮哉！黄河如丝天际来。黄河万里触山动，盘涡毂转秦地雷。……巨灵咆哮擘两山，洪波喷流射东海！三峰却立如欲摧，翠崖丹谷高掌开。白帝金精运元气，石作莲花云作台。[5]

> 日月照之，何不及此，惟有北风号怒天上来！燕山雪花大如席，片片吹落轩辕台！[6]

这和我们所熟知的"白发三千丈"、"蜀道之难难于上青天"等诗句一样，都是属于一种夸张的表现。这种写法可以使他所写的对象非常突出，特别在写雄伟壮丽的自然景物时，可以使诗意有开阔动荡的效果。这种夸张的写法又常常和他的丰富的想象联结起来，有时还运用一些神话传说的典实，这就形成了一种"壮浪纵恣"的多彩的笔锋，例如为人所传诵的名篇《梦游天姥吟留别》就是这样。这是构成他诗篇的一种豪放飘逸的风格的重要因素。他也常常把描写的对象加以"人格化",赋予感情的机能,例如他的名句"相看两不厌,只有敬亭山"[7]就是这样,不只人在看山,敬亭山也在不厌地看人了。此外如"春风知别苦,不遣柳条青"[8],"我寄愁心与明月,随风直到夜郎西"[9],都是这类例子。他经常都不是把自然景物仅只当作描写或刻画的对象,而是和抒情的成分,就是说和他自己的丰富的想象和诚挚的感情相结合的。有些诗中记他自己的游踪与感慨的,那固不必多说;就是其余的好些诗中也常常是把自然景物的描写和咏史致慨以及凭吊遗迹等结合起来的,这样就使自然界的景物和现实人生中的某些感触联系起来了,读来就更富于感染的力量。沈德潜《说诗晬语》说:"太白落想天外,局自变生,大江无风,涛浪自涌,白云舒卷,从风变灭。"这是形容李白诗的豪放飘逸的风格的,这种风格的形成当然和他的思想性格、遭遇经历,都有极密切的关系,但他把诗中所要表现的内容也赋予了与之相应的优美的语言和结构、丰富的想象和动人的形象,这就使他的诗在艺术上也达到了高度的成功,富于感人的力量。

除了对祖国山河的壮丽景色的描绘与歌颂外,像我们在叙述他的生平时所看到的,他的诗中表现得最多的是一种对于个人自由自在和摆脱社会羁绊的渴求,一种对于庸俗的人们的蔑视和一种对于有才能的人在社会上得不到应有尊重的愤慨。这些思想常常借饮酒高歌的行为或游侠求仙的向往表现出来，而且这种表现常常是非常强烈的。这些思想虽主要还是由他自己的遭遇出发，但在一定程度上反映出了当时社会的真实面貌，而且也正是和当时的人民对现实的愿望相通的。这在他的反对唐室所发动的穷兵黩武的战争的态度，以及后来在天宝之乱时他所表现的浓厚的爱国思想等方面，尤为直接和显著。他的思想也是不断发展的，经过了长期现实生活的磨炼，他对当时的政治和社会是认识得比较清楚了；这种精神明显地表现在他的创作上面。因之，虽然如我们上面所说，李白诗在风格和表现方法上都是富有浪漫主义精神的，但因为它根本上是从现实出发，因此也鲜明地反映出了当时社会现实的面貌。我们可以说，他的作品正好给我们提供了古典作品中现实主义和浪漫主义很好地结合的典范。

我们已经比较详尽地叙述了他的生平，因此关于他的诗歌的思想内容方面，就不再详加分析了，因为那主要精神和他平生为人的精神当然是相符合的。就李白平生的经历可以看出，他是一个个性很强的富有才能的人物，这也同样表现在创作上，他的诗也是非常富于独创性的个性鲜明的作品。像他描写自然景物的那些诗一样，他的一些写个人感触遭遇的抒情咏怀的诗篇，也同样是具有相似的风格特征和艺术特色的。

在以抒发作者思想感触为主的抒情诗里，作者的感情必须是真挚的和热诚的，那才会有强烈的感人力量。向来批评李白诗的人，都说自然真率是他的风格特色，李白自己在批评别人的诗时也以"清水出芙蓉，天然去雕饰"〔10〕为好诗的标准，这当然是没有什么问题的。但所谓"自然"应该包括有两方面的意义：第一，诗中的思想内容是真实的，感情是诚挚的，绝不是随声附和的、虚伪的。第二，是用单纯的诗的语言表现出来，并形成一种自然优美的风格的。在李白的诗篇中，这两点都表现得很鲜明；像"安能摧眉折腰事权贵，使我不得开心颜"、"我醉欲眠卿且去，明朝有意抱琴来"这种诗句，不只情意真实，语言自然，而且也很能表现出作者的个性。正因为他的性格是坦率的，他所要表现的感情是真挚的，因此他也就不屑于雕章琢句，而只用一种优美朴素的语言来表现他的思想感情，这就形成了他那种自然单纯的艺术风格。清赵翼说他"才气豪迈，全以神运，自不屑束缚于格律对偶与雕绘者争胜"〔11〕。在他现存的约一千篇诗中，五律有七十多首，七律只有十二首，合起来还不到总数的十分之一；他是不耐烦在形式上和字句上用推敲功夫的。当时，中国诗的各种诗体已差不多都定型了，因此乐府歌行、古近体诗，在当时都很流行；但某一种诗体都有它所比较适宜于表达的内容，并不是什么内容都可以装进任何一种诗体的。譬如杜甫有一首《江上值水如海势聊短述》的七律，是记他看到江水很大的奇景，要想作长篇古诗而没有写成的情形的。要写"江水如海势"的波涛汹涌的奇险景色，用字句一定和声律严格的近体诗，是不大行的；杜甫遂用一首七律来把这种情形记述下来，这就是"聊短述"，是七律这种诗体可以胜任的。李白所要写的那种汹涌的内容和豪放的情绪，用声律对偶限制得很严格的律诗是不适当的，因此他必须采用形式比较自由的乐府歌行，才能够达到如元稹所说的那种"壮浪纵恣，摆去拘束"[12]的表现能力。现在李集中仅乐府诗即有一百四十九篇，约占全集六分之一，与乐府相近的歌行尚未计算在内，可知他的所长了。明王世贞《艺苑卮言》说："太白乐府杳冥惝恍，纵横变幻，极才人之至。"又说他"笔力造化，极于歌行"，就是因为乐府歌行这种格律很宽、字句不限的比较自由的诗体，更适宜于表达他那种奔放的感情和壮阔的内容，他可以更自由地发挥他的创作才能。明胡应麟《诗薮》说："古诗窘于格调，近体束于声律，惟歌行大小短长，错综开阖，素无定体，故极能发人才思。"这是可以解释为什么李白喜爱写乐府歌行的道理的。不只如此，就是他所写的五七言律诗也往往是不拘对仗的。如《夜泊牛渚怀古》一诗：

> 牛渚西江夜，青天无片云。登舟望秋月，空忆谢将军。余亦能高咏，斯人不可闻。明朝挂帆席，枫叶落纷纷。

他是一个性格豪放的人，他不能容忍诗歌形式给予内容表达以任何的束缚；他对于诗歌的见解和主张是这样，他的诗歌创作也是这样。这就形成了他诗篇中的那种"清水出芙蓉"的自然单纯的风格了。

从这里我们也可以看到李白诗和民间文学的关系了；正因为他吸取了民间文学中的丰富的营养，并给以集中与加工，所以他的作品就不只在内容上有与当时人民的愿望相通的地方，而且在艺术形式上也具有符合人民美学爱好的特点。这是形成李白诗的艺术特色的一个重要因素。乐府诗本来大半出于民歌，带有强烈的社会性和叙述性，语言风格上也有比较浓厚的民间色彩。李白在五十九岁时曾因看到十一岁的孩子韦渠牟有作诗才能，就授以"古乐府之学"，足见他对这些保存下来的民间文学作品，是学习得很有心得的。但他自己所写的乐府诗并不是古乐府的单纯的模仿，虽然题目仍沿用古题，但内容和形式都是富于创造性的；其中有好多篇他都赋予了新的主题和内容。王世贞《艺苑卮言》说："青莲（李白）

拟古乐府,而以己意己才发之。"明胡震亨《李诗通》也说他的乐府诗"连类引义,尤多讽兴"。例如《乌夜啼》和《关山月》,本来都是叙离别的,但他却借此来写反对战争的思想;《独漉篇》的古词是写为父报仇的,他却写为国雪耻。就是与乐府本辞相同的,经过他的重述与加工,艺术性便大大提高了;例如《秦女休行》,胡震亨就说:"第重述一过,便堪击节。太白拟乐府有不与本辞为异,而复难及者,此类是也。"杨慎评他的《杨叛儿》也说,经他一写,"而乐府之妙思益显,隐语益彰"[13]。他也并不只拟古乐府,当时的民歌他也是很注意的。如《山鹧鸪词》一篇,就是学当时民歌的;《山鹧鸪》是曲名,郑谷诗说:"座中亦有江南客,莫向清风唱《鹧鸪》。"可知《山鹧鸪》是当时江南的民歌。此外如《三五七言》一首:

秋风清,秋月明。落叶聚还散,寒鸦栖复惊。相思相见知何日,此时此夜难为情。

杨齐贤说:"古无此体,自太白始。"这首诗无论就形式的特点或内容说,都显然是学习当时民歌的作品。就是李白所擅长的七言绝句,唐时也是可以入乐歌唱的,在社会上流行得很普遍。著名的王之涣等三人旗亭会饮的故事就说明歌伎所唱的都是七绝；从李白写《清平调》这事中，也可以得到同样的说明。明李维桢谓："仙心之源，出于乐府，贵有风人之致。其声可歌，其趣在有意无意之间，使人莫可捉着。盛唐惟青莲、龙标（王昌龄）一家。""七绝"这一体是一种音调铿锵的适宜于抒情的小诗，在歌唱时最后一句是要复沓的，因此全诗要含蓄，语意要明畅，而且要把全诗的重力凝聚到第四句，唱起来才会有力量。著名的《阳关三叠》就是例子。李白的七绝很能掌握这些特点，因此特别富有感染的力量。譬如《横江词》第五首：

横江馆前津吏迎，向余东指海云生。"郎今欲渡缘何事？如此风波不可行！"

第四句用带有限制性的否定词，诗的表现力便特别凝聚有力；其他如"只今惟有鹧鸪飞"、"不及汪伦送我情"等，都是这一类的表现方式。这完全是适应于这种诗体的歌唱性质的，可以说明他对于乐府民歌的重视。《艺苑卮言》称道他"独绝句超然自得，冠绝古今"。这原因和他在乐府歌行上的成就是相同的。

这种自然单纯的风格，当然与他所用语言的朴素平易是分不开的。像《山中与幽人对酌》一诗：

> 两人对酌山花开，一杯一杯复一杯。我醉欲眠卿且去，明朝有意抱琴来。

又如《自遣》一诗：

> 对酒不觉暝，落花盈我衣。醉起步溪月，鸟还人亦稀。

像这种明白如话的句子，在他的诗中是很多的。这也是构成他的风格的一个重要因素。当然，李白诗中也有许多运用典故和比较难懂的地方，正因为他"十岁通诗书"，经过了刻苦的学习，因此他对自从《诗经》以来的文学作品的优良成就也是承继了的。但他即使在运用故实或前人已有的体裁句法时，也常常是富有创造性的；并不是简单的模拟。他吸收了这些古典作品的营养，从而构成了他艺术特色的有机部分。

明胡震亨《李诗通》说："太白宗风骚，薄声律。"他自己也说"《大雅》久不作，吾衰竟谁陈"，他受《诗经》、《楚辞》的影响是很深的。胡应麟《诗薮》更说"太白以《百忧》等篇拟风雅,《鸣皋》等作拟《离骚》";《上崔相百忧章》一诗应用四言,《鸣皋歌送岑征君》一诗则无论句法或意境,都与《离骚》相近。不只如此,李白诗的精神特色有许多点都和屈原的作品相似,这首先因为他们都是抱有理想和才能而在当世得不到公平待遇的人物,因此那种热烈的情感和爱国的精神是相同的。其次,他们想象力很丰富,善于用夸张的表现方法,诗篇中都具有浪漫主义的色彩,因此在艺术特色上也有很多共同的地方。李白曾称赞屈原的成就说:"屈平词赋悬日月,楚王台榭空山邱。"[14]他是很佩服屈原的。他有些诗篇的风格也很明显地受到屈原的影响;譬如《远别离》,那种若断若续、反复曲折的表现方式,使人有一种"一唱三叹"的余响的感觉,就很有《离骚》的特色。此外他也受到汉、魏、六朝诗很深的影响。我们已讲过,他非常佩服谢朓的诗;杜甫称赞他"李侯有佳句,往往似阴铿","清新庾开府(庾信),俊逸鲍参军(鲍照)";李白诗中也还有称赞陶渊明、谢灵运、江淹等人的地方,他的《古风》五十九首就与阮籍的《咏怀诗》很接近。总之,对于汉、魏、六朝著名诗人的作品,他都是经过刻苦学习的,特别是受了谢朓、鲍照不少影响。譬如《古风》第十六首就与鲍照的《赠故人马子乔诗》的辞调很相近;朱熹甚至说他专学鲍照[15]。正因为他承继了在他以前的古典诗歌中的优良成分，又汲取了民间文学中的丰富营养，加上他自己在现实生活中的遭遇和经历，才形成了他那种豪放雄健而又单纯自然的富有独创性的诗歌特色。

自齐、梁以来，诗歌的一般倾向是崇尚隶事和声律，追求所谓"俪典新声"的形式主义的发展，内容则大半是柔弱轻艳的宫体诗。所谓"连篇累牍，不出月露之形；积案盈箱，尽是风云之状"〔16〕，就是宫体诗的主要内容。唐初的诗歌承齐、梁余风，宫体诗也还盛行了约有五十年的光景。陈子昂（公元656—698年）是唐代力图纠正这种诗歌的形式主义倾向的有力的一人，《新唐书》称："唐兴，文章承徐（徐陵）、庾（庾信）余风，天下祖尚，子昂始变雅正。"陈子昂在与东方虬《修竹篇序》中说："文章道弊五百年矣。汉、魏风骨，晋、宋莫传，然而文献有可征者。仆尝暇时观齐、梁间诗，彩丽竞繁，而兴寄都绝，每以永叹。窃思古人，常恐逶迤颓靡，风雅不作，以耿耿也。"他是努力想把诗引到现实道路上的人。他的《感遇诗》三十八首，就是努力学习建安时代的慷慨高歌特色的作品；其中有咏史事的、发感慨的，也有对边事及社会风尚的议论和批评的，在文学史上他可以说是开元、天宝时代文学的前驱者。黄子云《野鸿诗的》说他"不愧骚雅元勋，所嫌意不加新，而词稍直率耳"。这就是说他的这种提倡很有功绩，不过诗的艺术成就还不够高，因此影响也就不十分大。李白的文学主张和陈子昂相同，他也是以为"自从建安来，绮丽不足珍"的，看不起那种拘于声律、崇尚形式的诗歌，而是要"我志在删述，垂辉映千春"的。他的《古风》五十九首，就是他这种创作主张的实践。这种主张虽然以"复古"为号召，但实际上却是要求革新的。因为在支配人心的传统力量还十分强大的时代里，一切的革新往往都是借着"复古"的名义来作号召的；马克思在《路易·波拿巴的雾月十八日》中论到历史上传统与革新的关系时说："一切已死的先辈们的传统，像梦魇一样纠缠着活人的头脑。当人们好像只是在忙于改造自己和周围的事物并创造前所未闻的事物时，恰好在这种革命危机时代，他们战战兢兢地请出亡灵来给他们以帮助，借用它们的名字、战斗口号和衣服，以便穿着这种久受崇敬的服装，用这种借来的语言，演出世界历史的新场面。"[17]李白和陈子昂的主张"复古"也是如此，他们实际上是要求诗歌走向新的与人生有关的反映现实的道路上的；以"复古"为名义，只是为了这对于反对齐、梁以来的那种形式主义的、轻艳柔靡的倾向更有力量罢了。建安时代曹植等人大胆地运用民间乐府作诗，因而形成了文学上的一种清新刚健的作风，这就是后人所常常称赞的"建安风骨"。陈子昂、李白的推崇建安文学，实质上也表示了他们推崇乐府诗的特色和文人善于向民间乐府学习的传统。因此从文学的发展说来,李白正是承继了陈子昂的主张,并以他的创作实践来发生了改变文学潮流的巨大影响的。刘克庄说:"太白《古风》,与陈子昂《感遇》之作,笔力相上下。"胡震亨说:"太白《古风》,其篇富于子昂之《感遇》,俭于嗣宗(阮籍)之《咏怀》。其发抒性灵,寄托规讽,实相源流也。"《古风》五十九首中多半是指言时事和感慨咏怀的,与陈子昂《感遇诗》很相似。在这种意义上讲,他是相当于散文中"文起八代之衰"的韩愈的。韩愈对陈子昂、李白、杜甫都盛加推崇和赞扬,就是这种道理。韩愈《荐士诗》说:"国朝盛文章,子昂始高蹈。勃兴得李、杜,万类困凌暴。"《调张籍》诗说:"李杜文章在,光焰万丈长。"因此就中国文学的发展来说,李白是承继了陈子昂的改革主张,而创导了一种新的诗歌作风的作家。这种功绩在当时就已经为人所公认了,李阳冰《草堂集序》云:"卢黄门(藏用)云:'陈拾遗(子昂)横制颓波,天下质文翕然一变。'至今朝诗体,尚有梁、陈宫掖之风,至公(李白)大变,扫地并尽。"唐殷璠选开元间诗人二十四人作品为《河岳英灵集》,其中未选杜诗,但对李白则评为"其为文章,率皆纵逸;至如《蜀道难》等篇,可谓奇之又奇。然自骚人以还,鲜有此体调也"。可见他在当时人眼光中的地位。到韩愈、白居易、元稹等人的诗文中,李白就已和杜甫并称,被推为唐代诗歌的最高典范了。

李白诗的艺术成就，在中国诗歌传统中，可以说已到达了高峰；在文学史上也只有屈原、陶渊明、杜甫等少数几个人可以和他并称，然而也是各具有不同的艺术特色的。他写了许多个性非常鲜明的富有感染力的诗篇，那种"黄河之水天上来"的豪放的气魄，那种"清水出芙蓉，天然去雕饰"的自然单纯的风格，都对后来发生了很大的影响；那些诗篇并因此得到了历代人民的传诵与爱好，构成了我们古典文学传统中的一个重要的组成部分。我们从他一生的遭遇和经历来考察，就更可以了解他的主要精神和他诗歌的主要特色。

*　　*　　*

〔1〕《望黄鹤山》。

〔2〕《江夏赠韦南陵冰》。

〔3〕《庐山谣寄卢侍御虚舟》。

〔4〕孙觌：《送删定侄归南安序》。

〔5〕《西岳云台歌送丹丘子》。

〔6〕《北风行》。

〔7〕《独坐敬亭山》。

〔8〕《劳劳亭》。

〔9〕《闻王昌龄左迁龙标，遥有此寄》。

〔10〕《经乱离后,天恩流夜郎,忆旧游书赠江夏韦太守良宰》。
〔11〕赵翼:《瓯北诗话》。
〔12〕元稹:《唐检校工部员外郎杜君墓志铭序》。
〔13〕杨慎:《杨升庵外集》。
〔14〕《江上吟》。
〔15〕《朱子语类》:"鲍明远才健,其诗乃选之变体,李太白专学之。"
〔16〕李谔:《上书正文体》中语。
〔17〕《马克思恩格斯全集》第8卷,人民出版社1961年10月第一版。

后　记

　　像李白这样一位中国文学史上的重要诗人，我们对他的生平遭遇当然应该有一个比较详细的了解，因此搜集文献资料，并参考他的作品来写一本传记性质的东西，当然也是需要的。但这工作却十分不容易做，笔者个人的修养过差固然是主要原因，但在工作进行中也的确常常遇到许多一时难以解决的问题。这本小书只是一种一般性的读物，并不是学术研究著作，因此其中也不可能牵扯到许多考证问题，何况笔者自己也并不能考证清楚呢！但这就不能不影响到本书的质量；因为在写作时有时是势必要采用一些未成定说的说法的。当然，既然采用了，就总有一些根据；不过这些根据还不是无懈可击，因此还不能成为定说。这也不只在事实的考证上和材料的鉴别上是如此，就是书中所作的一些论断也大致可以说是属于这种情形的。这当然不大好，但限于笔者的实际水平，也只能做到这地步，尚望专家和读者们多多指正。

到现在为止，李白的诗还没有一部编年的集子，许多作品我们都很难确切地断定是何时写的。今本李集是以诗题来分类编成的，漫无次第可循，这就是一个很大的困难。"年谱"虽然有人作过，但也过于疏略。清王琦所作注文虽采撷较前人为多，颇富参考价值；但仍有疏漏或误解之处，不能完全相信。此外集中还有许多为后人怀疑过的伪作，因此鉴别真伪也是个麻烦问题。以前苏轼、黄庭坚、萧士赟、赵翼都怀疑过集中的一些作品，龚自珍甚至说只有一百二十二篇是真的——这当然太极端，而且也无充分证据，但至少可以说明是有一些伪作混进了集中的。传记资料中彼此抵牾之处也极多，诸如家世出身、籍贯、游踪、从璘经过，甚至死亡情形等，几乎都有不同的说法，有时甚至有好几个说法。——以上这些还都是属于史料问题，就已经够复杂了，至于根据史料作一些论述和分析，那就更困难。李白诗中所直接表现的同情人民疾苦或表达人民愿望的诗句并不多，必须更深入地分析他的作品的主要内容和主要意义，而这就要比较难得多；因此大家对李白的看法也就颇有分歧了。这些问题在写作时是一定都要碰到的。

正因为事实上有这许多困难，而笔者的能力又很低下，因此现在这本小书的内容不只是很粗浅，甚至也难免会有一些错误。但我以为既然我们今天对于作家传记这种性质的书籍有需要,那就尝试着来写吧!许多一时不能解决的问题是会在写作批评中慢慢得到结论的。谨慎小心一点固然可以少犯错误,但首先必须是在工作当中谨慎,不应该为了谨慎就不做工作。因此让我再来重复一句:望专家和读者们多多指正。

1954 年 3 月 27 日写竣
1978 年 5 月 21 日略加校改

图书馆精选文丛

中国近百年史话

曹聚仁 著

Copyright © 2021 by SDX Joint Publishing Company.
All Rights Reserved.
本作品版权由生活·读书·新知三联书店所有。
未经许可，不得翻印。

图书在版编目（CIP）数据

中国近百年史话／曹聚仁著. —北京：生活·读书·新知三联书店，2021.1
（图书馆精选文丛）
ISBN 978-7-108-06998-6

Ⅰ.①中… Ⅱ.①曹… Ⅲ.①中国历史–近代史–通俗读物 Ⅳ.① K250.9

中国版本图书馆 CIP 数据核字（2020）第 219546 号

责任编辑	郑　勇　唐明星	
装帧设计	刘　洋	
责任印制	董　欢	
出版发行	生活·讀書·新知 三联书店	
	（北京市东城区美术馆东街 22 号 100010）	
网　　址	www.sdxjpc.com	
经　　销	新华书店	
印　　刷	北京市松源印刷有限公司	
版　　次	2021 年 1 月北京第 1 版	
	2021 年 1 月北京第 1 次印刷	
开　　本	880 毫米 × 1230 毫米　1/32　印张 3.75	
字　　数	55 千字	
印　　数	0,001－6,000 册	
定　　价	19.00 元	

（印装查询：01064002715；邮购查询：01084010542）

写在前面

《中国近百年史话》是曹聚仁先生（1900—1972）写的一本小册子，拟想读者是历史专业研究者之外的普通大众。

这本《史话》，托始于19世纪中叶，其时正当李鸿章所说的"三千年未有之变局"，也就是我们一般所说的中国近代史开端；收尾至抗战军兴。也可换一种描述，说它纵贯晚清和民国。就本书结构而言，首章"前词"是总论概述性质，接下来的21节则依时间顺序写来，各节大致以人物为经线，以事件为纬线。所拈出的重要历史人物包括李鸿章、康有为、梁启超、孙中山、章太炎、袁世凯等，重要历史事件则包括甲午海战、洋务运动、戊戌变法、辛亥革命、二次革命、五四运动等。

在五六万字的短小篇幅里，却包容了近百年间的这些重要历史人物和重大历史事件，不难想见其粗线条勾勒历史的面貌，亦可见其速成读本性质。

作为一本近代史扫盲性质的历史读物，《史话》的文字风格平易晓畅、简洁而生动，没有教科书式的枯燥和刻板。史料之外，又征引了不少感性的文学材料，如黄遵宪、梁启超的诗文和《新青年》上的言论，以文入史，文史互证，有别于一般史家著述。

整体来看，《史话》深入浅出，又挥洒自如，称得上是"大师小作"。"小作"在这里不仅指篇幅，更主要的是强调其行文落笔较为通俗。今天读来，依然觉得它既是名家名著，又不失为入门之书，可为学子自我修养训练的基础读物。这也是我们把它列入文库推出的原因。

本书作者曹聚仁，字挺岫，浙江浦江人。中国现代作家、学者、记者。浙江第一师范学校毕业。1921年到上海教书，后任上海大学、暨南大学、复旦大学等校教授，并从事写作，以散文创作立足文坛。30年代初主编《涛声》、《芒种》等刊物。1937年抗战开始，从书斋走向战场，任中央通讯社战地特派记者，曾采访淞沪战役、台儿庄战役及东南各战区，并主持《正气日报》编务。抗战胜利后回上海，在大学任教，同时从事新闻工作。1950年到香港，为多家报刊撰写专栏文章，参与主办《循环日报》、《正午报》。1956年后，曾数次回大陆采访，致力于祖国统一大业。1972年7月病逝于澳门。一生著述逾四千万言，生前出版成书七十多种。我店近年来首次系统整理、推出"曹聚仁作品系列"，已经刊行和即将刊行的计约三十种。

《中国近百年史话》曾由香港三联书店于2003年出版过繁体字版。此次为大陆第一次刊行其简体字版。

生活·讀書·新知三联书店编辑部
2008年10月

前词——十九世纪之中国

写上一个该用百万字来铺叙的大题目,想把它压缩在顶小的篇幅里,不知从什么地方写起才好。刚巧有一位牧师在谈中国的土布,也就先说这个话题。十七世纪以前,由中国输往欧美的土产,茶叶、瓷器以外,第三样便是土布;(大黄还在其次。)到了十八世纪,蒸汽机,轧棉机,纺织机一登场,情势完全改变了,土布既没有输出的机会,洋布却涌进中国市场来了。那位牧师写道:"火柴从外来,洋油及洋油所带来的各种,代替了中国工业的大部分,对社会有极大的影响。欧洲人读了轮船公司的报告,说棉纱怎样在中国畅销,此种商业,从广东到牛庄,前途极可乐观。但是没有人想到或读到,棉纱在中国畅销的后果,怎样影响到中国产棉地区千万人的生计。这些农民,以前靠着纺织十五寸宽的土布来谋最低限度的生活,一尺布约须费两天的劳力,(从棉——纱——布的总劳力。)向市场卖出这些布,再买进一家最低限度的生活必需品；余则再买些棉花回来继续纺织。现在呢，外国的棉纱，有了可乐观的前途，中国的土布便完全失掉了它们的市场，这情势到如今越来越紧迫了。手工的纺织工作，既无利可图，又没有别的生产可以代替。(叫他们怎么活下去呢？)"因此，他指出中国民众的心理反应，说："许多'文明人'逐渐地进攻中国的内地，中国的无数受祸者，自己不明白受灾害的原因，好像日本农民被地震所造成的，海水或海岸沉落所激起的潮水所淹没一样。其中，也有许多人想到：在外国商业未进来扰乱旧秩序以前，一般的年头是够吃够穿的；现在什么都没有了，觉得前途一天一天地黯淡可怕；这样的经验，刺激了他们，使他们由愤激而行动，我们能怪中国人对'新秩序'表示极度的不满意么？"罗素在中国问题中也指出了这一点：欧洲人的角逐，由非洲而亚洲，由近东而远东，到了远东，情势便已不同了。东方人逐渐与西方政治思想接触以后，便产生了民族主义的运动；这一运动，也正是法国大革命以后，十九世纪前半期弥漫于欧洲各国的政治运动，东方人立刻追随欧洲人之后，成为激进的门徒了！

马克思于太平军向南京进发之际，曾大胆地断定：中国革命，将把火星抛到现代工业制度底那装满着炸药的地雷上，并引起早已成熟了的总危机底爆发。"他在百年前，做这样的推断或许还嫌稍早；但到了十九世纪后期，中国的每一次政治运动，都带着民族自觉运动的成分，那倒是十分真实的。"洋人"在中国的迈步，恰好碰在民族主义的铁丝网上。前年在上海有过一度如火如荼的胜利游行，行列中夹着色彩鲜艳的秧歌队，头上包着一块红色方巾，一队接着一队，几乎把上海变成了"火焰之海"。一位亲身经历过义和团的老年欧洲人，他对我说："当年的义和团，也就是这么一个样儿。"我便和他说："义和团也是民族求生存的自觉运动！所不同者，那时是'半自觉'，行动散漫而幼稚！现在是完全觉悟了，这是有组织的行列。"他也点头承认我的说法不错。

一八四八年，在欧洲那是民族主义与民主政治，最富理想意味，最能激起群众反应的时期，却又是著名的《共产党宣言》出现之年。因此，中国的一切社会运动，除了浓厚的民治色彩，激越的民族自决，必定带上社会主义的色彩。太平天国已经在那儿行"天朝田亩制度"，无政府主义也流行了一时，谭嗣同、康有为在那儿著《大同书》，孙中山也把民族、民权配上民生主义，鼎立而为三。西方的每一波澜，在东方同样地获得了迅速的反应；十九世纪的中国，才使我们体味到，中国已成为世界性之中国了。

不过，我不妨再引卜吉林（Keplin）的那句诗："东方自东方，西方自西方。"天下虽说是一家，东方的还是东方的；太平天国挂的是耶稣教的招牌，他们的天国、天父、天兄以及一切论调，还是东方的；曾国藩、李鸿章提倡洋务；他们所着眼的，乃是把西方的坚甲利兵来配我们的孔孟礼教，骨子里更是东方的。康有为、梁启超，提倡立宪政治，捧出孔孟，和公羊的微言大义来做挡箭牌，托古以改制。孙中山要算带西方的气息最浓重的，结果还是要捧出东方的礼运大同篇来，托孔子来张民生主义的革命胆子。倒是那位坐镇武汉的两湖总督张之洞，一语道破："中学为体，西学为用。"十九世纪，朝野人士所打的斤斗，打来打去，还脱不了这八个大字的圈子。

东方的国家，最西方化的莫如日本；可是一位最东方化的英国人小泉八云，（他在日本讲学，娶日女为妻，在日本成家，归附了日本。）他依然说，日本的工业化，也还是东方的。经过了一个世纪的，对西方文化激烈反应之后，新的日本上场了，新的中国也上场了；到了十九世纪末年，新的印度也已在孕育中了。

目录

前词——十九世纪之中国 1

一　叛徒 1
二　闯头关 5
三　诗人之泪 9
四　"李鸿章杂烩" 13
五　康有为登场 17
六　新旧士大夫斗法 21
七　西医孙中山 25
八　时代骄子梁启超 29
九　北拳南革 33
一〇　《民报》与章太炎 37

一一	辛亥革命	41
一二	袁世凯	46
一三	革命之梦	51
一四	宋案	57
一五	昙花一现的二次革命	63
一六	前甲寅	67
一七	新华春梦	71
一八	异哉所谓国体问题	77
一九	"五四"的前夜	82
二〇	五四运动	87
二一	从洋鬼子到洋大人	93
二二	大时代的脉搏	102

一 叛徒

这一本史话,托始于十九世纪中叶,那时正当李鸿章所说的"三千年未有之变局"。

相传胡林翼和部下巡视安庆太平军形势,骑在马上,洋洋自得,觉得太平军不堪一击,安庆指日可以收复了。这时候,忽见长江江面,一艘轮船呜呜驶过,他忽而一阵昏迷从马上跌了下来。部属把他救护回营,亲信进候起居,他慨然道:"太平军不足平,不成问题;倒是江面上的轮船,来日大难,不是我们所及料的了。"这是代表湘军(楚军淮军)这些首脑人物的觉悟。这就开始了十九世纪的洋务运动。

一边是洋务派,主张"中国欲自强,则莫如学习外国利器,欲学习外国利器,则莫如觅制器之器,师其法而不必尽用其人"。一边是卫道派,认为"立国之道,尚礼义不尚权谋;根本之图在人心,不在技艺"。这就展开最激烈的斗争。当时,郭嵩焘公使,力主学习欧西物质文明;他从英国回国,一班卫道君子,口诛笔伐,逼得他无路可走,因此不敢进京面圣,溜着躲回湖南去。他亲见曾纪泽坐小轮船奔丧到长沙;长沙官绅大哗,数年不息。他们骂郭嵩焘是汉奸,"有二心于英国",湖南的大学者,如王闿运之流,说"湖南人至耻与为伍"。还写了一副对子嘲弄他:"出乎其类,拔乎其萃,不容于尧舜之世。未能事人,焉能事鬼,何必去父母之邦!"(后来拳变事起,郎中左绍佐曾奏请戮郭嵩焘之尸以谢天下呢!)

《老残游记》的作者,刘鹗,在当时也曾成为思想的叛徒。他在小说中描写那时所谓公论:"看看一只大船快沉了,那三人将自己的罗盘及记限仪器等取出呈上,舵工看见,到也和气;那知那等水手里面,忽然起了咆哮,说道:'船主,船主,千万不可为人所惑!他们用的是外国罗盘,一定是洋鬼子差遣来的汉奸,他们是天主教。'三人垂泪,连忙回了小船。那知大船上人,余怒未息,看三人下了小船,忙用被浪打碎的断桩破板打下船去,……顷刻之间,将那渔船打得粉碎,看着沉下海去了!"这正是旧势力压迫新势力的缩写呢!

可是，时势迫人，刚毅、王闿运、叶德辉那一群人心目中的叛徒，先后辈出，如有星宿下凡，只好付之气数的了。那时，有两个福建人，严复（几道）和林纾（琴南），他们两人，都能做桐城派的古文，（出桐城吴汝纶之门。）而且做得很好。严几道从英国留学回国，（他本来也是学海军的。）便用桐城古文笔法翻译了赫胥黎的《天演论》，亚当·斯密的《原富》、斯宾塞的《群学肄言》；这三部书，可真是大逆不道。天演论说的是达尔文的进化论的道理，说人从猴子进化而来，并不一定是万物之灵。《原富》把孔夫子所说"长国家而务财用者必是小人矣"的道理翻了过来，把孜孜为利当作圣人之大道。《群学肄言》，说甲地以为是的，乙地却正以为非；这个国也不见得比那个国好；中国并没有什么可以自夸的地方。（针对着那时的自大狂。）他的老师吴汝纶还替这种学说做保镖，写了序文赞美他们。林琴南，他是不懂洋文的，却翻译多种欧美的小说。那一部使他成名的《茶花女遗事》，就是一部以一个妓女的唯美主义为中心的小说。又如《迦因小传》那个主角，迦因，她还生了一个私生子来收场。新的剑就从旧的剑鞘里跃出；这两个福建人，才真正是叛逆之徒。

福建的南边，那一个滨海的广东省，也产生了两个叛逆之徒：康有为（南海）和孙文（中山）。康南海写了一些怪书，《新学伪经考》、《孔子改制考》，大闹乾坤，在孔庙里翻斤斗。还写了一部《大同书》，通三统，张三世，搬出阴阳怪气的公羊家，扯出变法维新的旗帜。这是一部无政府主义的书，装在儒家的外衣里，他们的百日维新，就替三千年的君主政治敲起丧钟来了。孙中山是在君主政治的棺木上敲上钉子的。那时候，大家把他当作红眉毛绿眼睛的反寇看待，写起他的名字来，要把"文"字加上三点，写成"汶"字，才算"一字之贬，严于斧钺"。孙氏生于农家，所受名教的影响较轻，不像康南海那样开口"圣人"，闭口"圣人"，要继承道统，才敢毅然举起反叛的火把来。这火把上，有两个大字——"革命"。

　　"时势造英雄"，这是产生叛逆的世代！

二　闯头关

从谈洋务，讲坚甲利兵，到甲午中日之战，中间过了三十年；从甲午之战到卢沟桥的事变，中间又是三十年；三十年为一世，时代的轮子，一年迅转一年，国际的局势，一年紧迫一年。李鸿章，他说碰上了"三千年来未有之变局"，哪知，后浪逐前浪，我们碰到的变动，比他还大得多。抚今思昔，不觉出了一身冷汗；由现在想到将来，又不觉出了一身冷汗。

甲午那年（光绪二十年，一八九四。）夏天，一班大名士在北京叫喊着"挞伐倭奴"，翁大先生做群龙之首，把"迎头痛击"的上谕请了出来。不料风势反常，迎头在痛击的，倒反被倭奴击了去。十二月二十四日下午，北京尘沙遮天，失守平壤。鸭绿江的卫汝贤，坐了一顶无顶的轿车，拥到菜市口的街心，下跪在一家干菜铺的门口，演大团圆的喜剧；钢刀一亮，人头就落地了,把一班大名士就吓得噤口无声了。

甲午以前,李鸿章一手所经营的北洋海陆军,声势非常浩大,哪知一旦宣战,情见间灰飞烟灭,正是一本悲喜剧。那年四月间,北洋海军曾举行大检阅;李鸿章身为统帅,亲自检阅,仪典非常隆重;检阅以后,李氏奏报阅兵情形,对于海军非常赞美。哪知赞美的话犹在耳,日本人的考绩,已跟了上来了,"全军覆没。"——从检阅盛典到威海卫熸师,其间不过五六个月呢!

当北洋海军大检阅时,日人东卿平八郎,曾参观中国兵舰,认定中国海军并不中用;他说:"兵凶,战危,中国的士兵,把洗了的衣服,晒在大炮身上,那简直不知道战争的严肃,士无斗志,必败无疑!"他的话,便不幸而言中了。说穿来,这位海陆军统帅李鸿章心里非常明白;当时,户部尚书阎铭敬千方百计,省了一点钱,替海军衙门预备购舰装炮之用;慈禧太后,要造颐和园,就把这笔钱玩光了。战事发生前两年,德人汉纳根曾建议购买多量克鲁伯厂所造的大开花弹,供战斗舰大炮之用,李氏已经答应了,可是事实并没有买。等到战事爆发,两只战斗舰,只有三两颗大口径的开花弹,眼见给敌人打沉了!

甲午的六月二十日，日领事小村寿太郎送来："今后倘生不测之变，我政府不负其责"的最后通牒，中日战争便开始了。敌人是今天送了通牒，立即动了手的；我们的主帅李鸿章，（心里一直不愿意开战，他知道这一仗没有打胜的把握。）还在犹疑徘徊之中，六月二十一日，才开始运兵前往牙山。电报生受了敌人的贿赂，泄露了运期，所运的兵，就在广岛被日兵迎头截击；战局一开，便把幕幕趣剧上演了。那只济远舰善于逃，又善于挂白旗，逃到了旅顺，造了一个谎，说是打了胜仗。成欢一战，叶志超也是"溜之乎也"，造谎报捷，居然得了二万两的赏银。在朝鲜的王师，从牙山退到了平壤，沿途夺财物，役壮丁，淫妇女，一应官兵的典型动作完全使用出来。平壤之役，花样更多：起先是置酒高会，行若无事；后来盛军打毅军，自己打自己，敌人一来，又是鸟飞兽走，一口气逃过了鸭绿江，接连把九连城、凤凰城、岫严州、金州、大连等城，双手奉送，敌兵居然进山海关来了。

海战方面，又表演另一种奇迹。八月黄海之战，敌舰已经到了眼前，才发现自己舰队排列的错误。英顾问泰莱要设法赶紧补救，舰长刘步蟾连命令都不会发,响了第一炮,就把自己的海军总司令丁汝昌从桥上震跌下来了;这就算是海军迎战的开幕礼。八月十八日傍晚,只一日人的战斗,北洋海军便如苍茫落日,躲到威海卫去休息了。北洋海军,大团圆于威海卫,刘公岛失,丁汝昌自杀,余舰投降,战事闭幕,乃由北洋总帅李鸿章亲自到马关去订"乞和之盟"。从此,北洋海军也就成为历史上的名词。

甲午一战,把三十年坚甲利兵的大梦轰醒了。欧风美雨,正正式式闯入头关,把偌大的帝国渐次改造成为销纳资本主义国家制成品的尾闾了。当时,有一有心人,愤激之余,想编一部《东海传奇》,定下了一百个回目,只可惜有目无书。当时还有一位大诗人黄公度,亲与此役,有《五月十三夜江行望月》诗,句云:

"洒泪填东海,而今月一圆,江流仍此水,世界竟今年;横折山河影,谁攀间阖天,增城高赤嵌,应照血痕殷!"盖有感而作也。

三　诗人之泪

甲午之战,海陆军既全军覆没,士大夫阶级莫不悲愤欲绝;那股郁积的愤气,借当时一位大诗人黄公度的笔尖宣泄出来。黄遵宪(公度),广东嘉应州人;他眼见文官颠顶,武官怕死,把国事弄得一团糟,长歌当哭,写了许多诗篇。

平壤之役,中国陆军第一次出丑,左宝贵死难,叶志超、卫汝贵望风而溃,黄氏为赋《悲平壤》:"南城早已悬降旗,三十六计莫如走。……一夕狂驰三百里,敌军便渡鸭绿水;一将拘囚一将诛,万五千人作降奴!"这一场活剧,把淮军的威风都扫尽了。接着东沟再战,海军又出尽大丑,黄氏为赋《东沟行》:"红日西斜无还时,两军各唱铙歌归;从此华船匿不出,人言船坚不如疾,有器无人终委敌!"变徵之声,形容他们当时闻败气沮的情绪!

旅顺陷后，威海熸师，黄公度直气得跳起来，《哀旅顺》、《哭威海》那两首诗，一字一泪。他说："壮哉此地（旅顺）实天险，炮台屹立如虎闞。下有深池列巨舰，长城万里此为堑。谓海可填山易撼，万鬼聚谋无此胆！"可奈"一朝瓦解成劫灰，闻道敌军蹈背来！"天险有什么用呢？威海卫也是天险之地，敌人拊背而来，炮台又入敌手；于是中国的兵舰，"坏者撞，伤者斗，破者沉，逃者走！"只落得"海漫漫，风浩浩，龙之旗，望杳杳！大小李，愁绝倒！巍然存，刘公岛！"利兵又有什么用呢？

威海卫海军既败，德顾问瑞乃尔劝丁汝昌沉船毁炮台，免为敌所用；丁汝昌也曾下过命令，诸将只怕投降不成，不肯沉船，以免取怒敌人。丁氏无可奈何，乃仰药自殉。这一战役，卫汝贵杀头，丁汝昌自杀，海陆两大帅，总算以死报国了。丁氏自己并不欲降敌，诸将顶着他的旗号出降，黄公度为赋《降将军歌》，其末段有句云："磷青月黑阴风吹，鬼伯催促不得迟，浓薰芙蓉倾深卮，前者阖棺后仰尸；两军雨泣咸惊疑，已降复死死为谁？可怜将军归国时，白幡飘飘舟旗垂！海波索索悲复悲！"对于死者付予深切同情。海军中一向门户之见甚深，习气又坏，丁氏本无力指挥，如此下场，实在可怜！

这一幕悲喜剧中，一位丑角吴大澂，表演得非常出色。甲午战事初起，时吴大澂正在做湖南巡抚；他爱好古玩，（有名的金石学家。）忽购得一颗汉印，上有"渡辽将军"字样，心中不觉大喜，以为立功辽东，万里封侯有望了。他慷慨请缨出关，到了前线，自以为声威远闻，可以吓退敌人，在营前挂了一块免死牌，叫敌人见了牌，自请免死。这块免死牌，和张佩纶的免战牌，同为中外大笑柄。

黄公度赋《渡辽将军歌》，上半段替他铺张扬厉，写得有声有色，说："闻鸡夜半投袂起，檄告东人我来矣！此行领取万户侯，岂谓区区不余畀！将军慷慨来渡辽，挥鞭跃马夸人豪；平时搜集得汉印，今作将军横在腰。……自从驵节驻鸡林，所部精兵皆百战。人言骨相应封侯，恨不遇时逢一战！雄关巍峨高插天，雪花如掌春风颠；岁朝大会召诸将，铜柱银烛围红毡。酒酣举白再行酒，拔刀亲割生彘肩。自言平生习枪法，炼目炼臂十五年；目光紫电闪不动，袒臂示客如铁坚。淮河将帅巾帼耳，萧娘吕姥殊可怜！看余上马快杀贼，左盘右辟谁当前！鸭绿之江碧蹄馆，坐令万里销风烟。坐中黄曾大手笔，为我勒碑铭燕然！"

这份口气多么大。接着以有趣而沉痛的口吻写道："么麽鼠子乃敢尔,是何鸡狗何虫豸!会逢天幸遽贪功,心心精精来赴几,能障兔死觑此牌,敢抗颜行聊一试!待彼三战三北余,试我七纵七擒计!"哪知"两军相接战甫交,纷纷鸟散空营逃;弃冠脱剑无人惜,只幸腰间印未失!"银样蜡枪头的家伙,只好仍回湖南巡抚原任玩古董去了。"时出汉印三摩挲,忽忆辽东浪死歌,印兮印兮奈尔何!"这是他的暮境。士大夫阶级的爱国空谈,就由这位丑角上演一场了!

甲午战争的最后一幕是马关订约,割让台湾。黄氏为赋《马关记事》及《台湾行》:"竟卖卢龙塞,非徒弃一州。瓜分倘乘微,更益后来忧!""弱肉供强食,人人虎口危!无边尽瓯脱,有地尽华离;争问三分鼎,横张十字旗,波兰与天竺,后患更谁知!"这是多么沉痛的话!

四 "李鸿章杂烩"

李鸿章,中国旧士大夫阶级的最后一个角色。他扮演一些什么呢?他是文人,他是武将,他是政治家,他是外交家,一身而万能备。欧美唐菜中,有所谓"李鸿章杂烩"者;鱼、肉、海味、素菜,杂和成为一大碗,(本该称之为素十景或荤十景的。)算作是中国的名菜;李鸿章也就是这样一个大人物。

当常胜军露锋芒之初,华尔曾劝李鸿章自己做皇帝;后来庚子拳变事起,也有洋人向他进言,自立为王,他都诚惶诚恐,不敢有此妄想。中国旧士大夫的观念中,梦周公而不敢梦文王,以"一人之下,万人之上"为最高愿望,李鸿章当然还不敢翻出如来佛的掌心的。其实,他那种杂烩式的头脑和才干,只有做英国式的皇帝最为适宜,或许比顺治康熙可以做得更好些。不做皇帝而做一人之下的宰相或总督之类,才非所用，倒反处处受牵制，不能行其志了。"马关谈和时，李氏对伊藤博文说：'贵大臣之所为，皆系本大臣之所愿为，然使易地而处，即知我之难言，有不可胜言者。'伊藤答道：'要使本大臣在贵国，恐不能服官也。'"

李鸿章，要算曾国藩幕府中培植出来的第一流人才，他在文章上，没有什么特殊表现，且不去说。可是他的武功，到了淮军，便达到了顶点。其后积极经营海军，可算是通达时务，无如所努力的在量不在质，船的吨位比日本大，速度却不能及人；船的艘数多，联络也不能及人；士卒的人数多，精神也不及人。甲午一战，全军覆没，他的努力，全无成绩。甲午战前，他估量了敌我的力量，不愿开战；但他对慈禧事事敷衍，已经宣战，用兵依然优柔寡断，铸成大错；显然没有临大敌的才干。在朝鲜最丢脸的，就是他亲手培植的淮军。即算淮军已经衰老了，可是他所推荐，在小站练出的新兵，未出茅庐又已腐化了！他既不是名将，也算不得是军事学家；曾国藩书生谈兵，还有那么一大截成就，他呢，永远还是一个书生！

欧美人士，很多推许李鸿章，说他是大外交家；

弱国不容易办外交，他却能忍辱负重；有人说他可以和俾斯麦比并。俾斯麦是著名的权谋家，也许在这一点，两人有些儿近似。不过俾斯麦办外交，有两个特点：（一）国家利害关头，决不放松。（二）他调拨别国的矛盾关系，决不为别人所调拨，永远争取了主动的地位。李鸿章办外交，自始至终，采取以夷制夷政策，（这也是一种权谋。）他把东北的权利让给俄国，以俄制日；哪知日俄战后，吃亏的还是中国；日本当局，明白表示，要将一切损失，取偿于中国。他又曾运用国际矛盾，用俄、法、德三国力量来制日，结果，德占胶州，俄租旅大，法租广州湾，反而招致了列强的分割。他的每次外交，想制人，反而被制于人，结果都不很好。他到俄国报聘那一回秘密外交，算是最轰轰烈烈的大事；（他自己以为办理天津教案，最为得意，其实他不明当时局势，法国遭逢外患，自救不暇，可以更强硬一点的。）那场外交，在欧美所引起的反感，后果也坏得很，说起外交家这个美名，他也居之有愧的。

他的政治生涯，非常长久，得君不可谓不专；但在政治上也没有什么大成就。他继承曾国藩的事业，用人处事，却不如曾氏之恢宏大度。他在北洋所用人物，不免专权纳贿，植党营私，同流合污；他们的新政，花样很多，也是"华而不实"，都是表面文章。他的政略，隐以迎合慈禧意旨为方针，逢君之恶，更失了大臣立朝的气度。他这顶政治家的帽子，也不十分合头寸的。李氏逝世那时期，梁启超曾为文评论，说他"知有兵事而不知有民政，知有外交而不知有内治，知有朝廷而不知有国民，知有洋务而不知有国务，以为吾中国之政教风俗，无一不优于他国，所不及者惟枪耳，炮耳，船耳，机器耳，吾但学此而洋务之能事毕矣"。这段话是很公允的！

　　无所不长，一无所长，"李鸿章杂烩"无疑是中国式的名菜；中国的士大夫阶级的人物，大抵如此，李鸿章要算是庸中佼佼，值得称道的了！到今天为止，所谓外交家，也还脱不了李鸿章的窠臼呢！

五　康有为登场

"穷则变，变则通"。每当时代的转角上，我们就记起这一句老话来。那时，旧的士大夫既已随"甲午"的残兵败甲而去，新的士大夫便随"甲午"的柳暗花明而来，天涯海角，便送来了一位维新大人物，康有为（南海）。他的登场，非常喧闹的，他的下场，也是非常喧闹的。

康有为原名祖诒，字广厦，又号长素。一八五八年（咸丰八年），生于广东南海县。他初讲学时，只是一个监生；监生讲学，大家嗤之以鼻。可是他的今文学说，却哄动了一时的视听，青年相率景从，梁启超辈都成了他的信徒。梁氏自言："余以少年科第，且于时流所推重之训诂词章学，颇有所知，辄沾沾自喜。先生（指康氏）乃以大海潮音，作狮子吼；取其所挟持数百年无用旧学，更端驳诘，悉举而摧陷廓清之。自辰入见，及戌始退，冷水浇背，当头一棒，一旦尽失其故垒，惘惘然不知所从事，且惊且喜，且怨且艾，且疑且惧，竟夕不能寐。明日再谒，请为学方针，乃教以陆王心学而并及史学西学之梗概。自是决然舍去旧学，且退出学海堂，而间日请业于南海之门。"这便是文艺复兴时期的黎明气氛了。

康氏生在那个和资本主义接触最早的广东，心知那个老局面，不能再支撑下去了。如何来打开这个新的局面呢？他想，还是依仗孔圣人的老招牌来做革新的运动吧！他说：孔圣人自己就是托古改制的，我们何妨用他的老法子；这样便吹吹打打把公羊家捧了出来，同时也把礼运大同篇捧了出来，于是有《新学伪经考》、《孔子改制考》、《大同书》那几种新的经典，把"据乱世"、"升平世"、"太平世"的张三世之说，说得天花乱坠。他的欧美科学政治经济知识，本来有限得很；他那些理论中，夹杂着无政府主义的见解，（无政府主义盛于十八世纪末、十九世纪初期。）中外古今，贯穿成一家言；就把看众视线吸引住了。

甲午既败，他就联合十八省举子公车上书，这是群众运动（士大夫群）的第一声。

康有为甲午年中了举人，乙未年成了进士，在那个"国难"时期,是一个领导时代的了不得的人物。诚如蒋廷黻所说的:"孔子是旧中国的思想中心,抓住了孔子,思想之战就成功了;皇帝是旧中国的政治中心,所以康有为的实际政治工作是从抓住皇帝下手。"刚巧那位年轻的光绪皇帝,自登龙位,就碰了几次硬钉子,心神有些不宁。康有为那一吗啡针,说是:"窃以今之为治,当以开创之势治天下,不当以守成之势治天下。"正合脾胃,大动圣听。光绪帝指奏中"求为长安布衣而不可得"、"不忍见煤山前事"那几句道:"康某,何不顾生死乃尔?竟敢以此言陈于朕前!""嗣后康某如有条陈,当即日呈递,毋许扞格!"刘备碰着了孔明,如鱼得水,言听计从,乃有戊戌四月二十三日定国是的明诏。(戊戌春季的瓜分!更刺激了变法派和光绪帝。)

康氏的助手之中,如谭嗣同、梁启超、林旭、杨锐、刘光第,都是他的信徒;(一般人,也只是随声附和。)到处设学会,开报馆,吸收青年英俊分子,变法维新的空气,弥漫于全国,好像全国舆论,都倾向于这一改革大运动了。

新政中有几件大事,第一件:"命自下科始,乡会试及生童岁科各试,向用四书文者改试策论。"这一件，断送了千千万万读书人的生路。他们灯下窗前，苦磨苦琢，向八股文里钻，一旦判了死刑，要重新来过，岂不是要他们的老命？第二件："下裁汰冗官令，命裁撤詹事府、通政司、光禄寺、鸿胪寺、太仆寺、大理寺等衙门，湖北、广东、云南三巡抚，并河漕两总督缺，其各省不办运务之粮道，向无盐场之监道，亦均裁撤。"这一件，打碎了京内京外大大小小千百只饭碗。要知破人衣食，杀人父母，戴天不共之大仇，非拼个你死我活不可。新政一行，新士大夫阶级和旧士大夫阶级，便造成对垒的形势了。

　　康有为依靠光绪帝，自以为棋局布得很好。谁知旧士大夫阶级的棋局，比他布得更好。他们依靠慈禧太后，变法诏既下，那些打碎了饭碗的，向慈禧太后哭诉，说："皇帝大背祖宗制度。"慈禧太后笑而不言。那位刁狡古怪的老太婆，把这位狂悖躁急的新进，一拳头就打得天昏地暗了。

六 新旧士大夫斗法

戊戌新政既行,其中有一条,就是改寺观为学校;当时,北京城内,就有一个卖菜的老头子,歇着担在街头,挥手攘臂,破口大骂,道:"寺观庙宇,从古就有了,怎么可以废掉的!难道可以废掉的吗?"这也正是当时士大夫的共同心理,旧官僚反对新政,说是"非祖宗制度";士大夫反对新政,说是"非圣无法";只要是改革,即卖菜老头子,也捐出传统的招牌来,所以,康梁新政,就非失败不可了。

康有为在广州讲学时,理学大师朱一新(浙江金华人)已反对他的今文学主张,以为要影响世道人心的。他说:"夫人心何厌之有?六经更二千年,忽以古文为不足信,更历千百年,又何能必今文之可信耶?窃恐诋评古人不已,进而疑经,疑经不已,进而疑圣;至于疑圣,则其效可睹矣!"(他的这些话,倒像预言一样,到后来都一一应验了。)当时,今文学家的主张,虽耸一时之听闻,却和理学家根本不相容,理学正统派,也成为反对新政的一部势力。

新政前期,梁启超在湖南办时务学堂,声势非常逼人;那些卫道先生如王先谦、叶德辉辈,群起而攻之。叶德辉做《翼教丛编》,专攻击康有为道:"宁可以魏忠贤配享孔庙,使奸人知特豚之足贵;断不可以康有为扰乱时政,使四境闻鸡犬之不安;其言即有可采,其人必不可用。"又说:"康有为其貌则孔,其心则夷",口口声声"夷夏之分,正邪之辨",这是旧士大夫的共同理论。在野的旧士大夫,对于变法做理论上的攻讦;在朝的旧士大夫,即进行实力上的排挤运动,这一群官僚以慈禧为势力中心,挑拨光绪与慈禧间的母子感情,说:"新政既行,将去母后。"说:"新政既行,汉人排满。"慈禧乃以裕禄主持军机处,牵制新政的施行,并决定废立大计。八月六日,下太后垂帘训政之诏,光绪帝碰了硬钉子,忧郁以去,新政即告终结了。

戊戌七月间,杨锐、刘光第、林旭、谭嗣同奉光绪帝命在军机章京上行走,操握了行政大权,凡有奏折,皆经四人阅览,凡有上谕,皆经四人属草;光绪帝只看些重要章奏，其余都由这四人裁夺；其他军机大臣，等于虚位。这是维新士大夫得道行其志的顶点。可是他们握权不到十天，有名的政变便到来了。当时，帝后不睦，外间已有谋废立的风传，慈禧与荣禄密谋，讽御史李盛铎奏请帝奉太后往天津阅兵，乘机以兵胁行废立。其时，光绪也自知地位危险，并诏四人，透露这一危机。他们一时忙中无计，便想罗致袁世凯来制服荣禄，并以制服西太后。（据梁氏《林旭传》，说林氏当时不赞成这一办法。）结果却反为袁氏所卖呢！

八月初六日，黎明，上诣宫门请安，太后已由间道入西直门，车驾仓皇而返，太后直抵上寝宫，尽搜章疏攫之去，召上怒诘曰："我抚养汝二十余年，乃听小人之言谋我乎？"上战栗不发一语，良久嗫嚅曰："我无此意。"太后唾之曰："痴儿，今后无我，明日安有汝乎？"遂传懿旨以上病不能理万岁为词，临朝训政。这场政变，就此上演了。那天，张荫桓、徐致靖、杨深秀、杨锐、林旭、刘光第、谭嗣同及康弟广仁，一齐被拘下狱。张、徐二人一戍边，一永禁；其余六人，不久便都被杀了。康有为、梁启超二人仅以身免。中国旧士大夫阶级，都是千年狐狸，九炼成精，你看他嬉皮笑脸，和气得很，落在他的手中，毛骨无存。康有为的改革运动，表面上活动很厉害，实在是没有根的。他的政治生命，只有这百天的变法，从此以后，只留了一根辫子，做他的政治生命的特征。他的记忆力很强，口辩很利捷，作诗写字，都有气魄，可是没有什么大成就。这又是中国士大夫的典型。他有《湖心亭望湖》诗句："山边射虎看人猛，湖上骑驴觑我生！"新时代的《翼教丛编》，早不在那里攻讦康有为了！

七　西医孙中山

中华民族，这位老太爷，就因积痞太多，沉疴难治，那位中西合璧的走方郎中康圣人，想进一剂轻泻剂，替他清一清肠胃；无奈府中三姑六婆太多，只怕丢了饭碗，包围着这位老太爷，叫他非依旧吃香灰仙丹不可。这剂轻泻药，只吃了一帖，便丢向窗外去了。香灰仙丹，毕竟是吃不得的；老病人气喘肚胀，朝不保夕。腹中积痞愈多，其势非开刀不可。这时，天涯海角，远远的又来了一位西医，孙中山。

孙中山和康圣人是不同的，他们的家世不同，他们的意识不同。康圣人，他的先世以理学传家，幼年所受儒家教育，偏于玄想空谈，所以有那种带无政府的气息的《大同书》，他依旧认定士大夫阶级是中国社会的中坚，想在士大夫的基础上造维新的宫殿。无如士大夫是"游离分子"，正如一片沙滩，造不成什么建筑。戊戌政变，即是此路不通的明证。孙中山世世业农，幼年助理耕作，闻乡人谈洪杨故事，即以洪秀全第二自任。中国农民群，汪汪人海，其平静时，渝涟微波，一望无垠，一旦狂飙怒起，黑波掀天，又成为最不可侮的力量。农民虽不一定不安分，但不讳言"造反"，所以孙中山敢于立志革命。

光绪十一年（一八八五年）孙中山倡言革命，那正是中法战争失败那年。他在檀香山、在广州、在香港所受的，都是西方教育；西方物质文明及政治改革的刺激，对于他是直接的。他所研究的医学，如开刀、剖肚、洗肠、打针，在欧西是切切实实的，在中国却不免骇人听闻。他替中华民族诊断的结果，也以为非开刀不可。第一刀要割去那段盲肠——皇帝，免得残余器官发炎作怪。第二刀要洗清肠胃积痞，官僚主义，免得上下阻隔，无法滋补。从光绪十一年到辛亥革命，这二十多年间，他做割盲肠的工作，大体已告成功。从辛亥革命到民国十四年，他做洗涤积痞工作，事业未半，而他自己的肝脏炎发，在北京协和医院去世了。

甲午那年，这位孙"郎中"，就开出第一张方子，交给账房李鸿章；李账房把头一抬，理也不理。民国元年，孙"郎中"开出第二张方子，那方子上说"二十年内修筑二十万里铁路"，袁老板笑了一笑。那些伙计们就嘲笑这位郎中"开大炮"。一九一九年，他又在上海开出一张方子，孙文学说和建国方略，直到一九二四年，中华老太爷，才进服第一帖西药。每当孙郎中开出药方的时候，老病人的家人，无不瞠目结舌，以为药性太猛，老年人吃不得。过后一看，才明白非吃那猛药不可，可是老太爷的病情又加重了！

孙中山，大概如一般人所说的，是"革命之父"了；关于他和他们的革命，已经写了好多好多的书。他自己最后写了两句话："革命尚未成功，同志仍须努力。"但是，鲁迅却在阿Q正传描出最真实的面孔：

"革命也好吧！"阿Q想："革这伙妈妈的命，太可恶，太可恨，便是我，也要投降革命党了。"

"革命了！你知道？"阿Q说得很含糊。

"革命革命，革过一革的，……你们要革得我们怎么样了呢？"老尼姑两眼通红的说。

"什么？"阿Q诧异了。

"你不知道，他们已经来革过了！"

"谁？"阿Q更其诧异了。

"那秀才和假洋鬼子!"

"那还是上午的事。赵秀才消息快,一知道革命党已在夜间进城,便将辫子盘在顶上,一早去拜访那历来也不相能的假洋鬼子。这是'咸与维新'的时候了,所以他们便谈得很投机,立刻成了情投意合的同志,也相约去革命了。"

我们中国,是给"将辫子盘在顶上"式的革命,革了三四十年了,每一个老百姓都在问:"你们要革得我们怎样了呢?"

八　时代骄子梁启超

慈禧痛恶新政，一切都向牛角尖去钻；戊戌政变的余波所及，凡属报馆皆在封禁之列。有些贤明父母，把禁看报纸，列为家训之一，悬之座右以远尤悔。不过，世事常是十分矛盾的；有禁看报纸的父母，即有偷看报纸的儿女，戊戌以后的梁启超，却成为时代骄子，坐上无冕之王的宝座了。

梁启超流亡在日本，先后办了三种报纸；最初办《清议报》（戊戌十月至辛丑），接着《新民丛报》（壬寅以后），后来又办《国风报》，风靡一时，最得读者欢迎。他初办《清议报》时，态度非常激进。其时政友谭嗣同初遭横祸，忿火在胸中燃烧；所以他说："凡所谓十九世纪之雄国，当其新旧相角，官民相争之际，无不杀人如麻，流血成河；仁人志士，前仆后起，赴汤蹈火者，项背相望。……始则阴云妖雾，惨黯蔽野；继则疾风暴雨，相搏相斩中，终乃天日忽开，赫曦在空。世之浅见者，徒艳羡其后此文物之增进，而不知其前此抛几多血泪，掷几多头颅以易之也。"他赞成流血，赞成以牺牲求进步，思想可说十分激进。可是他并不能这样趋于极端，他看清中国士大夫阶级的中庸心理，知道非有过分的刺激，即有温和的主张，也难得士大夫阶级的同情。他的流血的激烈主张，即是推进他的君主立宪论的一种手段。他说："某以为业报馆者，既认定一目的，则以具极端之议论出之，彼有稍偏稍激焉而不为病，何也？人之安于所习而骇于所罕闻，性也。故必受其所骇者，而使其习焉，然后智力乃可以渐进；如领导民以变法也，则不可不骇之以民权；领导民以民权也，则不可不骇之以革命。大抵所骇者过两级，然后所习者乃适得其宜。"其本意如此。

《饮冰室文集》第一次辑集付印时，梁氏自序曰："今日天下大局，日接日急，如转巨石于危崖，变异之速，匪翼可喻。今日一年之变，率视前此一世纪，犹或过之。"时代潮流的汹涌激荡，他是看得非常明白的。但他自己老是跟在潮流的后面，既不冲锋，亦不落伍，一生就是如此。

梁启超曾有诗题其女令娴艺蘅馆日记，句云："吾学病爱博，是用浅且芜；尤病在无恒，有获旋失诸；百凡可效我，此二无我如！"这首诗，倒说到梁氏自己的病痛。

十九世纪末期，二十世纪初期，梁氏的确是中国思想界影响最大的一人。梁氏又曾于《清代学术概论》叙述其在言论界的工作，并坦白批判自己的缺点。他流亡在日本，专以宣传为业，为《新民丛报》、《新小说》诸杂志，畅其旨义，国人竞喜读之，清廷虽严禁，不能遏，二十年来学子之思想，颇受其影响。他素不喜桐城派古文，至是自解放，务为平易畅达，时杂以俚语韵语及外国语法，纵笔所至不检束；学者竞效之，号新文体；老辈则痛恨，诋为野狐禅；然其文条理明晰，笔锋常带情感，对于读者，别有一种魔力。

他自称"其保守性与进取性常交战于胸中，随感情而发，所执往往前后相矛盾，不惜以今日之我，难昔日之我"，这是他精神上的弱点。他和康有为最相反之一点，有为太有成见，梁氏太无成见，其应事也有然，其治学也亦有然。梁氏常自觉其学未成，且忧其不成，且以太无成见之故，往往徇物而夺其所守。

彼尝言："我读到性本善，则教人以人之初而已，殊不思性相近以下尚未读通，恐并人之初一句亦不能解以此教人，安见其不为误人。"他是新思想界中的陈涉、吴广，其破坏力确不小，而建设则未有闻。粗率浅薄，的确是他的缺点呢！严几道曾批评他："梁氏于道徒见一偏，而出言甚易，敢为非常可喜之论，而不知其种祸无穷。"有人说他是陆仲安一辈的中医，只想给病人补元气，吃了黄芪党参汤，每每和青年激进派伴走了一段，又不再向前去，终于半途分离了！

庚子正月，慈禧的爪牙，看见《清议报》风动全国，惶惶不自安，下令命南洋闽浙广东各督抚，悬赏十万两，一体缉拿；凡购读康梁所著之书报杂志者，一律严拿惩办，终究"懿"令无效，还替梁氏作了反宣传，增加了更多的读者。时隔不久，主张革命的激进派的机关报《民报》出版，和《新民丛报》相对垒，一刀一枪，十分热闹，梁氏的权威，反而下降了！

九　北拳南革

光绪末年，正如沉闷烦躁的梅雨天，满天空都是阴云，电光东西交闪，大家在期待着一阵暴风雨的到来。中年人只怕风狂雨骤，飞沙走石，拔木毁屋；希望两边雨脚，都慢慢地落下来才好。《老残游记》作者刘铁云，知道北拳南革，势之所趋，无可避免。但他怕北拳的"拳头"，一拳打得不好，把国家的运命，都断送掉。他又怕南革的"革"，浑身溃烂起来，也会送了性命。他自己是"老新党"，受了一些欧西知识，知道"只是一拳容易过的"，"惟此革字，上应卦爻，不可小觑了他。"他演说周易革卦的道理，"兑，水，阴，德，从愤懑嫉妒上起的，所以成了个革象。"你看象辞上说道："泽火兑，二女同居，其志不相得。你想人家有一妻一妾，互相嫉妒，这个人家还会好吗？初起，总想独据一个丈夫，及至不行，则破败主义,就出来了。因爱丈夫而争,既争之后,就损伤丈夫也不顾了。再争则断送自己性命,也不顾了。这叫作妒妇之性质。"这话,暗中讽刺"南革"的离里反,将如太平天国的争权夺利,自己杀自己,闹得一团糟。他又说:"一谈了革命,就可以不受天理国法人情的拘束,岂不太痛快呢!可知太痛快了,不是好事;吃得痛快,伤食;饮得痛快,病酒;今者不管天理,不畏国法,不近人情,放肆做去,这种痛快,不有人灾,必有鬼祸,能得长久吗?"这种惴惴惶惶的心理,拳既不可,革又不可,希望风调雨顺的中年人,对着黑云,干着急呢!

维新志士之中,有一位殉难的谭嗣同,他也是当时士大夫的代表人物;他殉难时,只有三十三岁。他作《仁学》,说:"古而可好,则何必为今之人哉?""天地间无所谓恶,恶者名耳,非实也。俗儒以天理为善,人欲为恶,不知无人欲,安得有天理。"他慨然道:"吾华人慎毋言华盛顿、拿破仑矣,志士仁人,求为陈涉、杨玄感,以供圣人之驱除,死无恨焉。若机无可乘,则莫若为任侠,(暗杀)亦足以伸民气倡勇敢之风。"他的话,正是革命志士的话,时代风尚,也经这么大变了呢!

果然,狂风暴雨,先从北边下来了:那股从山东转到北京来的义和拳,中人如魔如醉;上自西太后,下至屠夫走卒,都相信练拳念咒,可以打退洋兵;八国洋兵,已经从塘沽上陆,大家还相信"洪钧老祖已命五龙守大沽,夷兵当尽灭"、"得关圣帝书,言夷当自灭",杀机一开,"洋鬼子"、"二毛子"、"三毛子"都成为群众的出气的对象,打、杀、烧,无所不至。当时,有一位卫道大学士徐桐,家门上(他的家刚对着东交民巷)贴着"望洋兴叹,与鬼为邻"的春联,以示与洋鬼子不两立之意。拳匪一出,心中大快,亲自撰一长联,赞美大师兄:"创千古未有奇闻,非左非邪,攻异端而正人心,忠孝节廉,只此精神未泯;为斯世少留佳话,一惊一喜,仗神威以寒夷胆,农工商贾,于今怨愤能消。"他满以为大师兄真可以替他出尽心头恶气了。殊不知老祖无灵,塘沽不守,数十万义民,带着引魂幡、混天大旗、雷火扇、阴阳瓶一千法宝,连东交民巷都攻不进去,联军进京,车驾西走,一天雷雨,化作彩虹了!

不久,南边的雨脚也落了下来,丙午(光绪三十二年)有萍浏之役、钦廉防城之役、镇南关之役;戊申(光绪三十四年)有河口之役,这些革命行动,间接、直接都和同盟会有点关系。惟安庆之役，由徐锡麟主动，和同盟会事前并无联络。徐锡麟，浙江人，以候补道为安徽巡抚恩铭所赏识，擢任巡警处会办，兼任巡警学堂堂长；他暗中计划进行准备夺取安徽。以事机不密，党人被捕，只得提前发动，仅枪杀恩铭一人，徐亦被捕殉难。其时，同盟会方面，也屡次失败；但党人精神不懈，屡仆屡起。有些党人，愤革命之不成，想用暗杀的手段来收速效。黄复生、汪精卫北上行刺摄政王，即是动人听闻的壮举。其被逮口占五绝："慷慨歌燕市，从容作楚囚。引刀成一快，不负少年头！"那一时期，汪也算是一代的豪杰呢！

一〇 《民报》与章太炎

一九〇五年（光绪三十一年）七月，同盟会成立于东京，十月，《民报》在东京出版。第二年六月，章太炎从上海出狱，到东京主编《民报》，革命党和保皇党对垒起来了。

康梁的保皇运动，初亦颇能煽动人心；时局的情势愈坏，温和的改良主义，愈不能使人满意；大家愈希望"元宝大翻身"，彻底革命一下。《民报》和《新民丛报》的笔战，即是代表温和改良派和激进革命派的争辩。梁启超和章太炎两个主帅，各逞威风，大战三百回合。

《新民丛报》那一边的旗帜，上书"君主立宪"四个大字，以为政治改革不必取革命手段，种族更不必革命。梁启超作《开明专制论》，其结末二语："欲为种族革命者，宜主专制，而勿主共和；欲为政治改革者，宜以要求而不宜暴动。"大有否定革命之意。同盟会的陈天华，愤世自杀，在绝命书上高喊："满汉终不并立，欲使中国不亡，惟有一刀两断，代满洲执政柄而卵育之。"梁启超又申论"种族革命与政治革命之得失"，以为"种族革命实未可以达政治革命之目的者也。"又反其断案曰："故种族革命，吾辈所不当之为手段者也。"梁启超又说：革命要引起外国干涉，结果会闹到中国瓜分，所以暴动是万万要不得的。《民报》这一边，就一驳革命可以召瓜分说，再驳革命可以召内乱说，谓"暴动乃历史上酝酿而成，无待乎鼓吹，唤醒国民，为吾人之天职"。两方针锋相对，你来我往，煞是好看！

《新民丛报》时代的梁启超，笔锋甚健；可是《民报》方面的章太炎、汪精卫，笔锋也很健。你搬西洋法宝，我也搬西洋法宝；你请太上老君，我请如来大佛；中年人赞成梁启超，青年人崇拜章太炎、汪精卫，双方的群众，也一样的有力量。《民报》刊行了二十四期，日本政府受清廷运动，将该报封禁，《新民丛报》不久也停止发行，改出《国风报》，理论上的斗争，暂告休止。

《民报》这一边的口号，种族革命、政治革命、社会革命三义并出。孙中山所做的《民报》发刊词，首把民族、民权、民生三主义连贯着说；其时，同盟会会员多侧重"民族"、"民权"二义，中山则以为二十世纪不得不为民生主义之坛场，他的眼光就看远了一步。梁启超自然更不赞成社会革命，他驳斥了孙文演说中关于社会革命论的意见，又作"社会革命果为今日中国所必要乎"的反诘。又对于《民报》的土地国有论，作三方面的驳斥，以为在财政上、经济上、社会问题上，都不应该采取这一政策的。——时代变得真快，到了今天，大家已经觉得土地国有已经不够激进了呢！

宣统初年，革命种子遍布各地，同盟会就分头进行实际工作，很少做理论上的斗争了。康梁所做宪政运动，替满清开续命的方子，分道扬镳，而以辛亥革命为总结穴。形式上，革命派战胜了立宪派，事实上则宪政派和北洋派相结合，再成为革命党的政敌，乃有民初迭起的政潮。

社会舆论，开头最怕康梁，后来怕孙文（中山）。蔡元培有一位朋友，曾和他相赌："革命党若会成功，我输这颗头给你。"民国元年，那位赌头的人，和蔡先生相见。蔡先生说："从前的话，不必提了。"

那位赌头的人,回去对友人们说:"险呀,今天子民问我要头呢!"种族革命,政治革命虽受社会之怀疑反对、攻击,终于登场了。孙中山所预言的"社会革命",也及身都经历到了。

章太炎,浙江余杭人。光绪二十四年,曾应张之洞之聘,入幕府。时梁鼎芬为两湖书院院长,一日询章:"闻康祖诒(有为)欲作皇帝,信乎?"章答道:"只闻欲作教主,未闻欲作皇帝。其实人有帝皇思想,本不足异;惟欲作教主,则未免想入非非。"梁大骇。清末知识分子的思想分野,大抵如此。

梁启超曾赋满江红赠魏二句云:"如此江山,送多少英雄去了;又尔我踏尘独㴲,睨天长啸。炯炯一空余子目,便便不合时宜肚;向人间一笑醉相逢,两年少!"当时,知识分子的气分,也是如此。

一一　辛亥革命

辛亥革命，这是一个大题目。要写，无论从哪一头着墨，都可以说得很多的。我们从哪儿说起呢？我记得有一位李劼人先生，他写了三部以革命为背景的长篇小说，第一部是《死水微澜》，写庚子拳变时期的四川；第二部是《暴风雨前》，写辛亥革命的前夜；第三部是《大波》，写辛亥革命时期的四川。这场革命的大火，本来从四川成都开了头的。

最近，才正式开车的成渝铁路，乃是辛亥革命的导火线，本来，铁道国有政策，以及借外债建筑川汉铁路，这都是无可非议的。可是，五十年前的中国人，尤其是士大夫，决不这么想。他们的口号是铁路商办，路存与存，路亡与亡；让外国人来修铁路，就等于亡国。盛宣怀与英、美、德、法四国银行团签订川汉粤汉铁路借款，四川老百姓便一致反对，真正的民怨沸腾了！川粤湘鄂各省，纷纷设立保路同志会，一面由各省咨议局派代表进京请愿，一面由在京各省京官具奏抨弹劾盛宣怀，闹得如火如荼。

四川代表刘声元到了北京，直接向摄政王载沣请愿，不能见面，便在地安门外跪地捧其遗呈，被逮交步军统领衙门讯究，押解回籍；旅京川人纷纷结队哭送，那一幕剧，已经演得十分紧张。成都保路同志会，七月初一议决罢市，家家户户供奉光绪皇帝牌位，举哀号泣，这就是《大波》那小说中最精彩的一段。有一修雨伞的老工匠，天天呼吁奔走；那份朴素的爱国热情，正反映一般老百姓的真情热血。七月十五日，川人听说端方带兵入川，乃推举代表向总督赵尔丰恳求阻止端方入川，代表蒲殿俊、邓孝可、颜楷、罗伦，均被拘禁；民众集合数万人奔赴督署请求释放代表，卫兵开枪，死伤若干人！民情愈益激昂，这么一激一荡，各地革命队伍便乘机活动，造成普遍的暴动情况；保路同志会变成革命的急先锋了。

由于四川的保路，引起了端方的带兵入川，由于鄂兵入川，武汉防御空虚，乃激起了党人的活动机会；武昌八月十九日的起义，才进入辛亥革命的正幕。

辛亥那年，革命的实际行动，本来不十分顺利；孙中山和同志们说："举目前途，众有忧色；询及将来计划，莫不唏嘘太息，相视无言。"那时的困难情形，正是如此。不过，满清政权的溃烂，已经到了极点，一般民众的反政府情绪，也已十分成熟了。当时的革命种子，已经在新军中生了根，这是武昌起义一举成功的因素之一。

那次革命行动，原定于阴历八月十五日发难，就因为准备未充分，若干重要角色来不及赶到，决定延期十日发动。哪知，十八日午后，由于汉口俄租界实善里的地下机关，因为制造炸弹不慎，爆炸破露，连带被破获了许多地下机关，抄去许多革命党名册，牵连到新军的将领士兵的安全。党人乃临时变计，提早举事，八月十九日（十月十日）晚间，由工程营左队熊秉坤倡议发难，率队猛扑楚望台，占领军队局，同时起义的炮队、马队，合攻督署，鄂督瑞澂、新军统制张彪仓皇弃城出走，武昌便为革命军所有，汉阳、汉口接着也为革命军所攻占，大轴戏便这么开场了。

由于这场突然的成功，产生了一位与革命并无任何关系的政治领袖；他是忠厚老实人，有黎菩萨之称，由于士卒对他一向爱护，从床下拖出来，奉为革命军鄂军都督，（他当时任新军协统。）一夜之中，便成为革命元勋了。他当时曾写了一封信给海军提督萨镇冰，老老实实说他被迫革命的经过，颇为有趣：

……洪当武昌出事机之时，川舰去后，均已出防，空营独守，束手无策。党军驱逐瑞督出城后，即率队来此营，四面搜索，以快便水匪生命，当被索执，责以大义。其时，枪炮环列，万一不从，立即身首异处，洪只得权为应允。吾师素知洪最谨厚，何敢仓猝出此。虽任事数日，未敢轻动，盖不知究竟同志者若何，团体若何，事机若何；如轻易着手，恐至不可收拾，不能为汉族雪耻，转增危殆！

武昌起义之日，黄兴尚未到达汉口，孙中山还在海外；异军苍头突起，只能算是同盟会的友军；（共进会首领，在湘为焦达丰，在鄂为孙武居正。）但革命精神的感召，还是从孙中山而来，他在那时，就成为不争的革命领袖。

八月十九日一动手，第二天湖北军政府便成立；驻汉外国领事团宣告严守中立，这就等于承认革命团体的合法地位。从那天起，到九月下旬，仅仅一个月间，宣告独立的，就有湖南、陕西、江西、山西、云南、安徽、江苏、贵州、浙江、广西、福建、广东、四川、山东等省，三分天下有其二了。这其中，长沙九江的独立，完成了武汉的外卫防线，陕西、山西迫近京畿，威胁北京的安全。而江浙联军合攻南京，替临时政府争得了第二个根据地；同时，各省的咨议局，一向主张缓进的立宪派，也都成为革命的同路人，把满清政府孤立起来了。

这一次的革命，舆论鼓吹的力量，也显得非常之大；当时宋教仁（渔父）、于右任在上海主持《民立报》，（其初为《民呼报》，被政府封闭，乃改为《民吁报》，又被封闭，乃改为《民立报》。）那些煽动性的文字，吸引力甚大。武昌起义，那些刺目大字电讯，就把各地官员吓慌，风声鹤唳，草木皆兵，满清政府，一半也就是给这些吓昏了的。若干城市，事实上的独立，都比电讯迟五天十天不等，然而，读者疯狂似的欢迎这些谣言；当时，人心的向背，关系真太大了。

那年，南昌独立时，军政府成立，公举吴介璋为都督。忽接飞函，说是孙文；黄兴在海外开会，已推举彭程万为都督；其后不久，突有一人自称孙文代表，到军政府召集会议，宣读彭程万的委任状，一座无人敢出一言，吴都督也辞职而去。彭程万也就公然做了都督了。所谓"先声夺人"，"革命"的事，就是这么儿戏，也就是这么伟大的！

一二　袁世凯

一部中华民国的历史，前半截可以说是北洋派的历史，后半截才是黄埔系的历史。北洋派的重心人物，无疑地该是那位洹上的袁世凯。

袁世凯，随着庆军（淮军一部）统帅吴长庆往朝鲜，干了几件冒险的事，那是风云际会初出茅庐的手笔。甲午战后，他得军机大臣李鸿藻和荣禄的赏识，在天津小站练新军，那是他的政治斗争最大的本钱。他在光绪与慈禧那一场大斗争中，私下和康梁新政分子相勾结，却中途出卖了新党，获得慈禧的信心，这就开始往上爬了。拳变时期，他比那些糊涂满清主子看远了一步，不让拳党在山东活动；庚子那场大事变，他顿兵不进，博得国际的声誉，这是他往上爬的第二步。李鸿章去世，他就成为唯一的继承人，以直督兼北洋大臣，这就奠定了北洋派的基础。那一时期，李鸿章心目中，就以为"环顾宇内人才，无出袁世凯右者"。但从清廷来说，曾李的时代一过去，袁世凯乃是权臣，决不会和曾李那么忠顺的了。

光绪末年，北京设立练兵处，统一全国兵权；袁的左右手：徐世昌、刘永庆、段祺瑞、王士珍操纵了练兵处的全权。树大招风，满人以良弼为首那一群新进，便布置了排袁的局面。到了光绪去世，宣统接位，袁世凯就奉谕开缺回籍养病，他只能到彰德养寿园休息去了。那一时期，要算是袁氏走霉运的时期，但从革命运动说，这正是一个间接的助力；袁氏既受满人的压迫，他的新军便起了离心作用，恰好予革命党以渗透的机会。戊申以前，革命党人那么投掷热血头颅，发动革命，都没有大成果；武昌起义，就由于新军参加行动，便立刻成功，可见满人排袁，间接却替革命党人添加了实力！

辛亥革命，恰好替洹上闲居的袁世凯，造成了风云际会、见龙在田的好机会。武昌革命的消息到了北京，满清当局便吓慌了手脚，下谕起用袁世凯为湖广总督，统率水陆各军。他就迟迟不出。一面派长子克定南下和革命党暗中有个联络，一面让徐世昌在北京抓住时机，从清廷勒索军政全权；那在狱的汪精卫，也就成为袁孙间沟通消息的桥梁了。其时,陆军大臣荫昌虽奉命向武汉进兵,而北洋部队却迟迟不奉命,训令切责,毫无办法,便迫出下幕授袁世凯为钦差大臣,节制各军,冯国璋、段祺瑞各统一军,兵权便转到他手中去了。接着又迫出第二幕,(山西独立和张绍曾等兵谏,恰也给他以助力。)庆亲王奕劻内阁解体,清廷便任命袁世凯为内阁总理大臣,把政权也抓到手中。他这时才由彰德南下视师,稳稳当当把清廷抓在手掌玩弄着了。(冯国璋调任禁卫军总统官,禁卫军也调出北京城外,以新调拱卫军拱卫宣城;于是寡妇孤儿,就落在袁氏掌心中了。)

　　袁氏的南下,心里自有成竹;他是准备了和革命党妥协的本钱,牺牲满清政权来完成自己的政权的。(民党默许他做将来的总统,但民党希望他成为建立在民权上的总统,袁氏却要做大权在握的总统;这就成为和谈的障碍。)他的部队一到了汉口,便猛攻汉阳,给革命军一个下马威,迫革命党接受和议;一面便顿兵汉阳,不再进攻武昌,留革命军以讨价的本钱。袁氏乃运用外交手术,通过驻北京英公使朱尔典的关系,由驻汉英领事向双方介绍议和,清廷派唐绍仪为议和代表与革命军代表伍廷芳在上海议和,(其时，汪精卫已释放，暗中在京与袁直接接触。）这一套戏法的过门，已经布置得停停当当了。

就在一面向清廷要挟，一面向革命党敲诈的推排过程中，袁世凯是扯起了十面风帆来把自己送到最后港口去的。曾—李—袁这一线的演变，可说是中国军人心地的写照，袁氏是运用权谋成功的。

促成辛亥革命那三股力量：革命党（同盟会）的声势是浩大的，但革命的步调并不一致，孙中山无疑是众望所归的领导人，但是他那军政、训政、宪政三阶段的革命步骤，便不为党人所共同接受。革命一成功，大家都想分享革命的成果，不愿意等待下去了。散布在各省的立宪派，在当时可以说是各省咨议局的主脑人物，他们反对满清政权，和革命党是一致的；但孙中山的革命理论，并未为他们所了解，因此，对于民主政治的推行，印象也模糊得很。北洋派新军，在那时举足轻重，袁世凯运用自如，这是他的最大本钱。他看准了革命党的弱点，利用立宪派的游离心理，抓着自己的北洋派军力，骑着两头船，迫着清室让出帝位来。清室经几次御前会议，接受了优待条件退位，孙中山也就践着信约，让出临时大总统的职位；袁氏的政权既可说是受禅于清室，也可说是由革命党所奉让。总而言之，袁世凯的登场，乃是既成之局，当时国人也不十分去考虑了。

可是，南京临时政府当时公决："临时政府地点，设于南京为各省代表所议定，不能更改。"要袁世凯南来就职，要想他离去北京的帝王巢穴与腐败的旧势力相隔绝，又想用法律的力量来抑制他的野心，建立一个民权的政府。在当时，便为袁氏的阴谋所打碎了。临时政府派蔡元培、汪精卫、宋教仁、魏宸组、钮永建等八人北上欢迎袁氏南下主政。二月廿六日到了北京，袁氏特开正阳门热烈欢迎，表面上一套做法。二十九日晚间，他又由曹锟主使第三镇军队在东安门前门一带，放火行劫，发动大兵变，第二天，天津保定也同样地叛变；这么一威胁，袁氏便在中外舆情一致要求之下，留在北京了。这就完成袁世凯阴谋上的大胜利了！

时，汪精卫已释放，暗中在京与袁直接接触。）这一套戏法的过门，已经布置得停停当当了。

就在一面向清廷要挟，一面向革命党敲诈的推排过程中，袁世凯是扯起了十面风帆来把自己送到最后港口去的。曾—李—袁这一线的演变，可说是中国军人心地的写照，袁氏是运用权谋成功的。

促成辛亥革命那三股力量：革命党（同盟会）的声势是浩大的，但革命的步调并不一致，孙中山无疑是众望所归的领导人，但是他那军政、训政、宪政三阶段的革命步骤，便不为党人所共同接受。革命一成功，大家都想分享革命的成果，不愿意等待下去了。散布在各省的立宪派，在当时可以说是各省咨议局的主脑人物，他们反对满清政权，和革命党是一致的；但孙中山的革命理论，并未为他们所了解，因此，对于民主政治的推行，印象也模糊得很。北洋派新军，在那时举足轻重，袁世凯运用自如，这是他的最大本钱。他看准了革命党的弱点，利用立宪派的游离心理，抓着自己的北洋派军力，骑着两头船，迫着清室让出帝位来。清室经几次御前会议，接受了优待条件退位，孙中山也就践着信约，让出临时大总统的职位；袁氏的政权既可说是受禅于清室，也可说是由革命党所奉让。总而言之，袁世凯的登场，乃是既成之局，当时国人也不十分去考虑了。

可是，南京临时政府当时公决："临时政府地点，设于南京为各省代表所议定，不能更改。"要袁世凯南来就职，要想他离去北京的帝王巢穴与腐败的旧势力相隔绝，又想用法律的力量来抑制他的野心，建立一个民权的政府。在当时，便为袁氏的阴谋所打碎了。临时政府派蔡元培、汪精卫、宋教仁、魏宸组、钮永建等八人北上欢迎袁氏南下主政。二月廿六日到了北京，袁氏特开正阳门热烈欢迎，表面上一套做法。二十九日晚间，他又由曹锟主使第三镇军队在东安门前门一带，放火行劫，发动大兵变，第二天，天津保定也同样地叛变；这么一威胁，袁氏便在中外舆情一致要求之下，留在北京了。这就完成袁世凯阴谋上的大胜利了！

一三　革命之梦

辛亥革命，那么轻轻易易地成功了；然而，革命是如鲁迅《好的故事》所写的：

> 现在我所见的故事清楚起来了，美丽，幽雅，有趣而且分明。青天上面，有无数美的人和美的故事，我一一看见，一一知道。
> 我就要凝视他们……
> 我正要凝视他们时，骤然一惊，睁开眼，云锦也已皱蹙，凌乱，仿佛有谁掷一块大石下河水中，水波陡然起立，将整篇的影子撕成片片了。

这便是革命；凡是革命以前的好梦，到了这儿，都这么破碎了！

接在辛亥革命以后，那是一连串的黯淡日子。楚狂老人曾经赋了一首《还我头来》的新诗：

冤魂：
　　口号你喊得震天价响，
　　标语你散得满地价飞，
　　你们究竟做到了那几句？
　　且不管你们的是是非非。
口号：
　　我不曾开口，谁叫你喊？
标语：
　　我不曾生翼，谁使我飞？
口号标语：
　　我们本是生成给人利用的家伙，
　　难道你们也是给人利用的笨蛋！
　　　　×　×　×　×　×
冤魂：
　　你们不要辩白得这样起劲，
　　你们害死人，我们就是铁证。
　　叫人向左来，自己向右去。
　　刚刚喊打倒，又要喊拥护，
　　今日我们这样喊，你算革命，

明天我们这样喊,你算反动。
你们这样三反四复的无耻,
可曾知道害死了多少性命?

× × × × ×

我们丧失了性命,难道活该?
我们要大声喊道:
"还我头来!"

就在《阿Q正传》里,我们就看见了假洋鬼子剪了辫子的革命,也看见了赵秀才盘辫子的革命;可是革命一到来,假洋鬼子和赵秀才联在一起,把尼姑庵先革了一通命,而且,不准阿Q参加革命的阵线的。这便是辛亥革命最真实的墓碑。

当革命运动开始的时期,北洋派新军和立宪派的地方力量,都是革命党的友军;满清政权,就在这三种势力的联合战线下推倒的。但当满清政权推倒之后,革命党和北洋派便对立起来了。"这三大派势力,在根本的精神上和活动的方式上,有大相差异之点,就是革命派的行动常是激进的,主动的,不计当前利害的;军阀官僚派的行动,常是固守的,被动的,对于当前的利害计较最切的;至于立宪派,其计较当前利害与军阀官僚派略同,但不如他们的固守,也不如革命派的激进,有时候处于被动,有时候也会自动。高一涵尝评论这一派说:'这党宗旨在和平改革,无论什么时代,只要容许他们活动,他们都可附首迁就;到了他们不能活动的时期,也可偶然加入革命党;但是时局一定,他们仍然依附势力,托庇势力之下以从事活动。'这是很确切的评论,因为立宪派的精神性质上是这样,所以,自推倒满清帝制以来,中国政治上的斗争,常常是革命派和军阀官僚派对抗的斗争,而立宪派则处于因利乘便的地位。民国初期的政治情势,大略如此。"(李俊农语)

民元革命的力量一直在分化分合中;孙中山,他依然是革命派的领袖,但是,他的革命同志,大多数迁就事实,愿意通过袁世凯的关系来巩固自己的政权,连他的主要干部,如黄兴、汪精卫都有此倾向,黄氏希望使袁世凯入国民党,成为党的中坚力量。那位《民报》的主将章太炎,也脱离了同盟会,自组中华民国联合会了。梁启超依然成为立宪派的领导人物,民主党又和国民党处于对立地位了。最有趣的,国民党、共和党、进步党三大政党的口号与政治目标,几乎十分相近,有如今日美国的民主党与共和党呢。

"革命"从我们身边走过,老百姓才看清楚它的面貌;想不到它竟是如此的丑恶!

民国元年,孙中山北上入京,黄远庸(民初著名记者)曾访之于旅次,问及省治情形。孙氏说:"五六年内,军民分治,还不容易办到。"黄氏接着便说:"在此期间内,中国必无统一之望了。"孙氏又答:"五六年不统一,有什么要紧?何必如此心急?美国到如今,也还没有统一呢!"事实上,不仅是不统一,而且是混乱接上了混乱,一种分崩离析的倾向。

北洋派新军的军纪本来不好,袁世凯利用军队作政治斗争的资本,几次主要的兵变,都是他暗中主使;北京首都所在,也可以那么公然放火杀人,下级干部便骄横放纵,无法无天了。各地革命部队,大部分都是乌合之众,军风纪本来很坏;临时政府北迁,若干部队,奉命遣散,携有枪械,便成为散匪。最著名的白狼之变,从豫西开头,东奔西窜,有似捻军;西至陕西,南攻湖北,东入安徽,数千里间驰骤往来,如入无人之地。所谓"官军",比白狼的匪军还凶残,奸淫掳掠,无所不为;老百姓的生活便更痛苦了!

那时的政党人士,所谓国会议员,唯利是图,不知人间有廉耻事。那位黄远庸，曾以沉痛的文句写民元的政局，说："大略竖尽古今，横尽万国，所谓政治家者，未有如吾国今日之政客之无节操之无主张，惟是一以便宜及感情用事，推其原因所由来，不外所争在两派势力之消长，绝无与国事之张弛而已。真正平民则木然受其荼毒蹂躏，而无所控诉，则所谓政党与议会者，亦仅两派之角距冲突，并无舆论之后援。故其结果，必仍以两派势力中之最强者胜，此最强者，其力益能于政治上无所不为，特彼或将有所不为耳。"这便是由革命带来的所谓民主政治了！

湖南有一位诗人王湘绮，他看不惯这样的政局，曾赋一对联讽之：

民犹是也，国犹是也，何分南北；
总而言之，统而言之，不是东西！

一四　宋案

　　北洋派和革命党的斗争，几乎是命定的；满清政权一瓦解，袁世凯的剑尖便刺向革命党这边来了。那场斗争，由前哨战进入正面冲突，那是从"宋案"开了头的。

　　民国元年九月间，孙中山、黄兴相继入京；袁世凯热烈欢迎，以极隆重仪式相款待，表面上空气非常融洽。假使新旧两势力果然这么融洽合作，未始不是国家民族的幸福，孙中山气度很大，临时政府北迁了，他就想率领党中同志为纯粹在野党，从事扩张教育，振兴实业，立国家的百年大计，把政权完全让给袁氏。可是党中同志，没有这么远大的眼光，国民党不甘于做纯粹的在野党的。孙氏北上和袁氏面谈时，依然谈到这一打算，他表示愿意率领党员从事社会事业，建设二十万里铁路；一般人却又笑他是吹大炮，说空话。

那时,国民党方面,有魄力而又有政治欲望的另一领袖,宋教仁;他也是主张新旧势力合作的。不过,他所谓合作,乃是由袁氏做总统,而实权放在责任(政党)内阁上,这在民主政治的理论是最正确的;可是袁氏是一个政治欲更强,领袖欲更强的人,他肯安于虚君式的总统吗?这么一来,他就把宋教仁看作真正的政敌。(其时,连袁氏的旧友唐绍仪也因为推行责任内阁制,被袁氏所排除了呢!)

还有那位天真的黄兴,他是主张化北洋军人及旧官僚为国民党的,(他要用化男为女的玄想去化旧为新。)表面上赵秉钧的内阁,几乎是清一色的国民党内阁,事实上,只是袁世凯的御用内阁;形式上的内阁制,却是实际上的总统制了。

那个情势下的国会,参众议院,国民党以三九二席的多数占了优势,宋教仁拼命造党,在宪法轨道以内和袁氏去斗争,隐然是一个不可侮的势力。他的锋芒,他的在政治上稳固的根据,这才使袁世凯芒刺在背,不能安居。于是宋案便在意想之中产生了。

民国二年三月二十日,午后十时,宋教仁在北站待车北上,就在此时被刺,身受重伤,延至二十二日逝世。于是国民党与北洋派,不再能合作了。

宋案的动机是很简单的,袁世凯要打击国民党的在国会中的力量,擒贼先擒王,要把宋教仁这位热心于政党内党的领袖铲除掉。(三月十三日,应桂馨写给洪述祖信中说,"民立记遁初,即宋教仁在宁之演说词,读之即知其近来之势力及趋向所在矣。事关大计,欲为釜底抽薪法,若不去宋,非特生出无穷是非,恐大局必为扰乱。"已把用意说得很明白了。)至于案情,也十分明白的,袁世凯是主谋人,由当时的国务总理赵秉钧在筹划,指挥这场暗杀事件的是洪述祖,在上海执行这一工作便是应桂馨。事发以后,在应家搜出的函电文件,有如次露骨的话:

二月一日,洪致应函中云:"紧要文章已略为露面,说必有激烈举动,须于提前径电老赵,索一数目。"

二月四日洪致应函:"冬电到赵处,即交兄(洪自称)手,面呈总统阅后颇色喜,说弟颇有本事,既有把握,即望进行。"

三月二十日,(宋那天晚上被刺。)应致洪电:"二十四分钟所发急令已达到,请先呈报。"

三月二十一日"号电谅悉,匪魁已灭,我军无一伤亡,堪慰,望转呈。"

这些明明白白的文件，给程德全、应德闳（当时江苏都督民政长）搜获了，那是无可抵赖的了。（这些证据，都已公布。）当时，上海地方审判厅审理这一案件，原告律师要求洪述祖（国务院秘书）、赵秉钧（国务总理）到案，袁世凯当然尴尬万状。

可是，这是权力的斗争，法理、证据在权力面前，黯然失色；袁氏已经准备着使用武力，国民党方面，除了武力，也没有第二条可走了。那时，袁世凯向五国银团借好了一笔二千五百万镑的大借款，军费有着，动武的机会到来。他就老实对部下说："可告国民党人，我现已决心；孙黄无非意在捣乱，我决不能以受四万万人财产生命付托之重而听人捣乱者。彼等若有能力另组政府者，我即有能力毁除之！"宋案乃成为北洋派与国民党决裂的导火线了。

"宋案"发生，是非曲直，本来不待说的；那个在意想之外而又在意想之中的结局，恰好证明"政治"并不是逻辑的！既非法律所能范围，也非舆论所能约束；因为它是连带着权力出现的，一切都是"指鹿为马"。有一回，赫德（英人，曾任中国总税务司。）对严几道说："海军之于人国，譬犹树之有花，必其根干支条，坚实繁茂，而与风日水土有相得之宜，而后花见焉，由花而实，树之年寿，亦以弥长。"其实政治也是如此，希望经过一场革命，把国家就弄好来的好梦，这一来，都醒过来了。一个在朝执政的最高当局，要运用阴谋来暗杀在野党的领袖，而舆论却又不一定同情被牺牲的在野党，宋案的反应，就有那么微妙。

从应桂馨家中搜出来的函电，证明了应桂馨雇用武士英（凶犯吴福铭）是花一大笔钱的。案既破露，上海地审厅发传票传审赵秉钧，严拿洪述祖。洪即避居青岛，赵秉钧也避嫌请假。后来政府诉之于武力，这一案也就悬搁起来了。那年冬天，应桂馨居然从上海狱中逃出，由青岛往北平，（其时，洪述祖在青岛，赵秉钧任直督，在天津。）堂而皇之进出官府了。民国三年一月十九日，应出京往天津，在车上被刺身死；这又是袁世凯的手法，他要杀桂来灭口。赵秉钧在天津，听到应某被刺消息，曾用电话向袁鸣不平，说应的下场如此，以后谁肯替总统拼命做事呢？过了几天，赵秉钧也暴病身亡了。

洪宪帝制失败后，洪述祖才受到法律制裁判处死刑。法律必须于权力失去后才发生效力，这便是对于民主政治的讽刺。洪某颇有才情，他的青岛别墅，叫观川台，在南九水，风景很好。他的儿子洪深，就以之为背景，写过一本剧本，《劫后桃花》。观川台的石壁上，刻有洪述祖的诗句："涧落已成瓴建屋，溪喧犹似蛰惊雷。"说起来，他也是一个有志之士呢！

一五　昙花一现的二次革命

宋案发生，那些真凭实据，证明了袁世凯的政治阴谋，但是国民党并未获得国人的支持，国人实在厌乱，同时，对于袁世凯还存着某种幻想，对于革命党有着某种心理上的厌恶。进步党人士，这时，反而站在袁世凯那一边，抓取一个党权执政的机会，因此，国会内部，就起了分化作用。即国民党议员，（若干议员，都是革命成功以后的投机分子。）也很多希望和袁氏妥协的。袁世凯既决意诉之于武力，国民党的脚步，便有些凌乱了。

据黄远庸当时的分析："（一）现在最激烈者，仅一孙中山，孙以反对借款，通电各国，而收效相反。（人民的心理如此。）（二）孙电致胡汉民（时为广东都督）嘱宣布独立，闻胡颇以时机未至拒之。（三）柏文蔚（时为安徽都督）之态度，有颇谓其此时但求骗钱到手，俟到手后即造反者；然以余所闻，安徽军队，除某旅长一部分外，决不附和。（四）此间所传程德全之态度，已日益明确。（五）最激烈者，人以为江西人，其实最能实行同盟会宗旨者，莫过于湖南。（六）都督中之态度最明了者，莫过于李烈钧，其派兵计划，以余所闻，已非子虚。综计孙黄二人，黄已少变，而孙已变，都督中李最强硬，其军队亦比较可恃，故现在内外咸旨目于李。"他这篇通信所分析，最近事实。

插在战祸再起的当儿，有几件小小的插曲，蒋智由发起了一个弭祸公会，主张袁世凯辞去总统之职，并无下文。汪精卫、蔡元培以名流地位发宣言，主张要求袁氏退位，另选总统以弭战祸，也给朝野人士冷笑了一阵；袁世凯的答案是确定了的，他的北洋派部队，已经分路进兵，首先打击国民党的核心，向九江进发了。

（六月九日，李烈钧免职；十四日，胡汉民免职；三十日，柏文蔚免职；国民党三督均已去位；李纯部队向九江进发，七月十二日，任李纯为九江镇守使，战事同日发生。）

七月十二日，李烈钧在湖口起兵讨袁；其后三日，黄兴入南京挟程督德全独立讨袁；其他粤、湘、闽、川、皖，各地也零零落落宣布响应，二次革命，就是这么经过几场小接触，便烟消雾歇了。这一场革命的结局，替北洋派军人铺平道路，汤芗铭督湘，段祺瑞督皖，（其后改任段芝贵、倪嗣冲。）其后又改任李纯督赣，冯国璋督苏，（原以张勋督苏，其后改任冯国璋，而以张勋为长江巡阅使。）长江流域，便完全收入北洋派军人掌握中了。

这时，有两段有趣的文献，足以说明这一场革命的性质。当革命军攻上海南市制造局时，上海市商会致函南北两军说："赣省事起，风潮骤急，商界首当其困。本日喧传南北军在制造局将有战事，商民恐慌，要求设法维持。顷间全体开会，决议上海系中国商场，既非战地，制造局系民国公共之产，无南北军争夺之必要，无论何方面先启衅端，是与人民为敌，人民即视为乱党。用特函告台端，约束麾下，勿与吾民为敌！"这便是民国以来，不断的党争内战中，老百姓的共同态度。结果，小鬼打架，病人受灾，吃苦的还是老百姓。

当时，汪精卫也在宣言中说了如次的话："一年以来，国民有一致普通之口头禅曰'非袁不可'，然同时又有一致普通之心理,曰:'非去袁不可'。何以'非袁不可'?非袁则蒙藏无由解决乎?曰否。非袁则列国承认无由入手?曰否。非袁则共和建议无由进行乎?曰否。然则何为而'非袁不可'?曰:以袁拥重兵故。袁之部下,不知有国民,只知有袁宫保,使袁宫保在,专制可,共和亦无不可;使袁宫保去,则乱且接踵而至;津京兵变,已小试其端,奈何其后蹈之;此'非袁不可'之说也。今日以前,虑其部下之有变,而苟然安之,然则今日以后,亦将虑其部下之有变,而苟然安之乎?虑其部下之有变,奉为大总统而苟焉安之,奉为皇帝而亦苟焉安之乎?此所以'非袁不可'之言者,同时亦必有'非去袁不可'之意也。"二次革命之失败,也可说是"非袁不可"的心理,战胜"非去袁不可"的心理呢!

一六　前甲寅

这五十年间的中国士大夫，把国家大事看得太轻松了；开头只觉得那些高鼻子绿眼睛的洋鬼子，大炮利害，兵舰利害，有了这两样法宝就行了。哪知甲午一战，大炮兵舰沉入东洋大海，全无用处；这才恍然大悟，要跟日本那样维新变法，才会变成富强之国的。（日俄战役，更证明维新变法的好处。）康梁捧出了维新方案，那时候真说得天花乱坠，够多么动人；可是戊戌小试，便碰了一鼻子的灰。于是，大家明白非把满清的命革掉，中国既不能"立宪"，也不能"变法"的。辛亥革命，一脚把满清政权踢掉了，以为这一来，中国一定得救了，哪知，满清是倒了，官僚政府并未倒掉，袁世凯的独裁政治，比满清还黑暗得多。于是有志之士，知道非真正政治革命，建立民主政治不可。这就来了章行严（士钊）的《独立周报》和《甲寅》杂志。《甲寅》的第一篇便是"政本","为政有本,本何在,曰在有容。"何为有容,便是容忍反对党存在的议会政治,于是蒲徕士的政治学说,介绍进来了。民国三年,在那个政治气压最低的时期,《甲寅》乃成为中国思想界的明灯。

那一时期的政治气氛,我们可于黄远庸寄章士钊的信中见之。"鄙人溷迹京尘,堕落达于极地。盖世事都无可谈,即有所陈,犹之南北极人之相去,而乃互道寒暄,究其相去之度若何?此两极人皆不能自喻,故费辞耗时,甚无谓也。远本无学术,滥厕士林,虽自问生平并无表现,然而其奔随士大夫之后,雷同而附加,所作种种政谈,至今无一不为忏悔材料。愚见以为居今论政,实不知从何说起。至根本救济,远意当从提倡新文学入手。综之,当使吾辈思潮,如何与现代思潮相接触,而促其猛省。而其要须与一般人民生出交涉,此后以浅进文艺,普遍四周。史家以文艺之复兴为中世纪改革之根本,足下当能语其消息空虚之理也。"他已经看到中国的政治,走到绝路了!

章士钊这一群人的《甲寅》杂志,在民初那一时期,不仅是以代表着知识分子的反独裁的政治倾向,同时也代表着一种进步了的报章文学。

本来梁启超主编《新民丛报》时期，所为文章，既不似晚汉魏晋文，又不似桐城派文，也不似八股文，乃是这些文体的变种，另成了他所谓"新文体"。这种新文体，从旧文体解放出来，诚如他自己所说的，有几种好处：（一）平易畅达，时杂以俚语韵语及外国语法，纵笔所至不检束。（二）条理明晰。（三）笔端常带情感，具有使读者特别感动的魔力。这便是严几道所讽刺的报章文学。（严氏云："任公笔原自畅达，其甲午以后，于报章文字成绩为多，一纸风行，海内观听为之一耸。当上海时务报之初出也，后尝寓书戒之，劝其无易由言，致成他日之悔。闻当日得书，颇为意动。而转念乃云吾将凭随时之良知行之，由是所言，皆偏宕之谈，惊奇可喜之论。至学识稍增，自知过当，则曰吾不惜与自己前言宣战。然而革命暗杀，破坏诸主张，并不为悔艾者留余地也。"）

到了章士钊的《甲寅》出来，报章文学才进入文辞雅洁理路周密的新境。章氏自谓行文主洁，故言期有物，而不枝蔓。他立论调和，故理尚执中，而不偏激。他移用远西词令，隐为控纵，世人称之为逻辑文学。逻辑文学，究竟是怎样一种文体？他自言："凡式之未慊于意者,勿著于篇,凡字未明其用者,勿厕于句。力戒模糊,鞭辟入里,洞然有见于文境意境,是一是二。如观蛛网之画,情见底,如中堂檐上蛛,丝络分明;庶乎近之。愚有志乎是,宁云已逮;然文中不著不了之语,命意遣词,所定腕下必守之律令,不轻滑过;率尔见质,意在而口不能言其故者甚罕。"就报章文体说,章氏的文字,比梁启超的进了一步了。

一七　新华春梦

《新华春梦记》，乃是一部以洪宪皇帝为主题的章回小说，洪宪皇帝于民国五年一月一日登极，六月六日身死，新华宫一场春梦，结束了袁世凯的独裁政治。

袁世凯一直就想家天下，过皇帝的瘾的；辛亥革命之际，他和伦敦《泰晤士报》驻北京记者莫礼逊说："余深信中国国民中，有十分之七乃是守旧分子，进步一派，最多不过十分之三；现在推倒了清帝，将来守旧党，依旧会起来恢复帝制的。"这是他们那一群人的说法。后来，他所借用的那位政治顾问古德诺，F. J. Goodnow 所发表的对于中国政体的意见，说是考察中国之历史、政治、民情，依据南美共和国的经验，中国宜于民主政体。有了高鼻子的政治学家张胆，帝制论与筹安会便大吹大擂上场了。

本来，袁氏自从民国三年五月，颁布了新约法，他是终身制的独裁元首，而且（总统任期十年，连任无限制；改选之年，参政院以为政治上有必要时，得为现任总统连任之议决，即无须改选。）现任总统推荐总统继任人，（被推荐人之姓名，藏之金匮石室。）也有袁氏世袭总统之可能。大权独揽，比任何独裁元首，或皇帝都威风得多。然而袁氏是不甘于以总统终其身，急急爬到炉火上去的了。民国二三年间，北京已经流行"共和不适于国体，为了救亡，非恢复帝制不可"的传说，这些传说，都是袁克定暗中播散出来的；他这位未来的太子，在当时最热心于这场做皇帝的买卖的。

民国四年春天，袁克定邀请梁启超吃饭，梁氏以外，杨度便是主要的陪客。席间，袁、杨二人，把共和政体批评得体无完肤，言下表示非改变国体不可；他们两人，显然希望能够获得梁氏的支持。而且，梁氏本来是君主立宪论派，他们以为可以引为同志的。梁氏当时列举内部及外交上的危险情形，劝他们悬崖勒马；彼此之间，便是"话不投机半句多"了。

陶菊隐作《六君子传》，重心放在杨度（皙子）身上，这是不错的；所谓筹安会六君子，实实在在只有杨度一个人，洪宪帝政，便是他跟袁太子克定两个人唱出来的双簧。李剑农分析所谓筹安会六君子，孙毓筠、胡瑛、李燮和三人是以革命元勋被借重的，刘师培也是以国学大师被借重的，严复则以学贯中西的学者被借重的；据严氏与友人书，便说他的列名筹安会，实乃被杨度所强奸。他说："我虽主张君主立宪，可是应该推戴谁做皇帝，实在是个难题。"他并不赞成袁世凯做皇帝的。所以六分之五的君子，都是陪客，所谓装点场面的配角是也。

杨度，他是很有才气的人，光绪年间，经济特科所拔选的才士；戊戌政变以后，他和激进的革命领袖黄兴、陈天华往来甚密；后来又心意动摇，由革命党变成了君宪党，和梁启超步调一致的，预备立宪时期，参加宪政编查馆工作，成为袁世凯的亲信；辛亥革命初期，他便以袁世凯私人代表地位，和革命领袖汪精卫作幕后接触，因此他所主持的国事匡济会，也成为袁氏幕后的主要机构了。

民国初年，杨氏看准了袁氏的心理，乃发表他的君宪救国论，（他说："共和决不能立宪，惟君主始能立宪，与其行共和而专制，不若立宪而君主。"）他和袁克定唱过一本双簧，其意非常明显；他是不甘寂寞，要想做洪宪皇帝的第一任内阁总理，完成他的一人之下万人之上的梦想的。

杨记筹安会的上场，轻松而简便。原定八月二十一日开成立大会，十九日却先通告成立了，说是本会工作甚忙，不待大会先行成立，推杨度为理事长，孙毓筠为副理事长，严、刘、李、胡为理事，于是那位外国顾问的君宪论和入会愿纸及投票纸，一并寄发。而且因为会员太多，会场不易找到，一律用投票议决，"请于表决票上，填写'君宪'或'共和'二字，本会即据票数多少以为议决标准。"于是，这么重大的国体问题，就在这么儿戏戏法中出现了。中国的民意，一直就是这么轻而易举地给当政的强奸了去的。

杨记筹安会以神奇、迅速、微妙的手腕，完成了国民公意的请愿戏法。据当时北京当局发给各地当局的电文说："国体投票开票后，当即行推戴，无须再用投票手续，即由公等演说应推戴袁世凯为大皇帝；如赞成，应起立；表决后，即将拟定之国民推戴书，交请各代表署名。事毕，再由公等演说，推戴及催促大皇帝即位之事，可用国民代表名义，委托代行立法院为总代表，即将预拟之国民代表致代行立法院电稿，交请各代表赞成。至推戴文内必须叙入字样，已将原电奉达,此四十五字,万勿更改。"戏法一拆穿,就是这么一点玩意儿;以中国区域之大,不到两个月,居然全体选举完毕,全国一九九三票,票票主张君宪,无一票表示反对,而且每一票上,都写着:"谨以国民公意恭戴今大总统袁世凯为中华帝国皇帝,并以国家最上完全主权奉之于皇帝,承天建极,传之万世!"四十五个大字,没有一笔不同。有人说,袁世凯的手法,比法国的拿破仑一世三世,都高明得多了。

中国的民意,自来听任执政者捏造,方圆任意。梁启超对这幕戏法,曾加考语:"自国体问题发生以来,所谓讨论者,皆袁氏自讨自论;所谓赞成者,皆袁氏自赞自成;所谓请愿者,皆袁氏自请自愿;所谓表决者,皆袁氏自表自决;所谓推戴者,皆袁氏自推自戴。右手挟利刃,左手持金钱,啸聚国中最下贱无耻之少数人,如演傀儡戏者然;由一人在幕内牵线,而其左右十数壁人,蠕蠕而动;此十数壁人者复牵第二线,而各省长官乃至参政院蠕蠕而动;彼长官等复牵第三线,而千数百不识廉耻之辈,冒称国民代表蠕蠕而动。"这本傀儡戏,就是这么上演了。曹丕做了皇帝,他恍然有悟,说:"舜禹之事,吾知之矣!"反正四万万个阿斗,在他心目中,如此而已。

然而,好梦由来最易醒,"一手可以掩尽天下耳目!"可是天听自我民听,老百姓也不是这么容易欺负的;袁世凯毕竟做了皇帝,便一跤摔死了的呢!

一八　异哉所谓国体问题

反洪宪帝政的护国战役，梁启超和蔡锷都是主要人物；梁氏的《国体战争躬历谈》、《从军日记》、《护国之役回顾谈》，都是第一等直接史料。

民国三年年底，袁氏的皇帝欲已经很显露了；梁氏便把自己的家从北京移到天津去，作抽身的准备。第三年五月间，他从广东北归，路经南京，正值冯国璋做江苏将军，他对梁氏说到袁氏要做皇帝的事，便相约同车入京，想对袁氏进些忠告。哪知他们还没开口，袁氏已先自说了，而且说得十分痛切，表示他自己决无此种心意，也就罢了。哪知冯氏回南京，梁氏到了天津，不久，筹安会便闹起来了。

筹安会出现后的第七天，梁启超那篇有名的《异哉所谓国体问题》便写出来了。据梁氏自述："其时亦不敢望此文之发生效力，不过因举国正气销亡，对于此大事无一人敢发正论,则人心将死尽,故不顾利害死生,为全国人代宣其心中所欲言之隐耳。"这篇文章尚未发印,袁氏已有所闻,托人致意,叫他不要印行。有一天,袁氏打发人送了十万块钱一张票子和几件礼物,说是送梁老太爷的寿礼,梁氏婉辞却却,把十万块钱退还。别的礼物收了两件,同时把那篇未印成的稿子给来人看,请他告诉袁氏采纳他的忠告,那人便垂头丧气地去了。后来,袁氏又派人跟梁氏说:"君亡命已十余年,这种味儿,也吃够了吧!何必再自寻烦恼!"梁氏笑谢之。接着梁氏便南来着手反帝制的军事行动了!

戊戌政变时,袁氏原是康梁的大敌,新政所以失败,就因为袁氏被慈禧所收买,出卖了光绪的帝权的原故。可是,民初在国民党与袁世凯的斗争中,梁氏反而成为袁氏的羽翼;后来,袁氏大权独揽,又把进步党冷在一边。帝政之后,梁启超的进步党,才和袁氏对立,又和国民党站在一起了。

"反帝制"的行动中,插上了戏剧性的蔡锷(松坡)从北京出走的故事,格外来得生色些。蔡将军,民三辞去了云南都督,和梁启超、汤觉顿一同在北京;梁揽政治,汤弄财政,蔡研究军事,这是他们进步党志士的伟大抱负。他们想在袁世凯的中央集权情势下，实现他们的政治经纶。袁氏要做皇帝，他们决意保护共和，蔡将军便非出走不可；因为他的政治军事资本，都在西南云贵角上，不从北京脱走，远水救不得近火的。可是，梁启超的反帝制问题文字一发表，蔡将军的行动，就受了限制了。

那时，蔡将军在北京，便联合好些军官作赞成帝制的表示，他在北京，逢人就说梁启超是书呆子，不识时务，而他却是一个识时务的英雄。袁的左右，问他为什么不劝劝梁某，叫他早日回头？他说："书呆子自有傻劲，劝不醒的；不过书呆子没有用的，秀才作反，三年不成，放心好了！"可是，袁氏是不会轻易放过他的，蔡将军的北京寓所，便碰上了离奇的盗劫案。他就装作打牌吃花酒，过极腐败的生活，那么混了好几个月。直到袁氏的监视，渐渐松懈了，他便于十二月二日，从北京到了天津，搭船到日本长崎，一溜烟到云南去了。蔡将军出走了十天，梁启超也悄悄地搭船往大连，再由大连转上海；这幕大轴戏便上演了。

梁氏南行，在上海便和国民党若干人士有实际联络。环龙路之会，便是章士钊从中拉拢；国民党和进步党的切实合作，乃是反帝制所以成功的主因之一。一方面，也可以看出进步党人士的普遍觉悟。当时，梁氏致信进步党人上，说："吾党凤昔持论，厌畏破坏，常欲维持现状，以图休养。今以四年来试验之结果，此现状多维持一日，则元气斲丧一日。吾辈掷此聪明才力，助人养痈，于心何安，于义何取。使长此无破坏，犹可言也，此人则既耄矣，路易十五所谓朕死之后，洪水其来，鼎沸之局，既无可逃，所争者早著已耳。"在梁氏的一生，这一回是最坚决的一回。

梁启超的笔锋是有魔力的，不独他的"异哉所谓国体问题"一文，足以寒袁世凯之胆，连他的《从军日记》，也足以鼓舞百年后的读者。

云南起义的打算，原由梁、蔡和戴戡三人在北京密议决定。云南决于袁氏下令称帝后即独立；贵州则接在一月后响应，广西则迟两个月发动；于是以云贵之力下四川，以广西之力下广东，约三四个月后可以会师武汉。后来，蔡锷主持云南军事行动，梁氏则经越南往广西，策动两广的军务，西南半壁，就在这样的计划下站稳脚跟来的。

梁氏到上海后，他的行动，便引起了多方面的注意；他们和国民党间采取联络行动，一方面和南京的冯国璋也取得了某限度的默契。同时，他们获得日本政府当局事实上的支持，其能绕道安南，由海防入镇南关，沿途"各种各色人，咸动于其政府默示指挥之下，如身使臂，臂使指，条理井然，而乐于趋功，无倦容，无强态。"可见日本当局对中国局势的关心。

西南局势一变动，袁世凯的情势，就一天一天坏下去；云贵向四川进兵，虽不如预想那么顺利，但袁氏派兵入川，也同样的不顺利。他相信杨度的话，以为北洋诸将惟欲攀龙附凤，求子孙富贵，哪知诸将并不想把黄袍加向袁皇帝的身上。首先段祺瑞就表示不合作，筹安会成立，段氏便被免去陆军总长职务。冯国璋在南京，首鼠两端，北洋派内部便开始破裂了。

日暮穷途，袁氏就在四面楚歌中，自动取消了帝制，却也改变不了恶化的趋向。他这才尝到了迫人与被迫的滋味，夜不成寐，突然于六月六日死去；这一场梦，也就这么不了了之了。

一九 "五四"的前夜

反帝制的运动中，进步党系处于领导的地位；蔡锷在滇黔已经有了根基；陆荣廷招梁氏入桂，进步党才向粤桂分头发展；戴戡入川，也准备在川培植一点根基。在北洋派军人中，梁氏和冯国璋有密切关系，蔡锷有重建北洋派的雄图，也准备和段祺瑞携手。民五的进步党，可说是得道行其志之时；（最初，进步党只想造成南北均势，袁氏既死，便准备联段来统一中国。）无奈命不由人，蔡将军积劳过度，病殁东京。后来戴戡在川乱中被杀，梁氏原想利用北洋军阀的实力结果又为段祺瑞所玩弄，陷于民二的覆辙；进步党的政治希图，至此完全失败。

民七以后，梁氏和他所领导的研究系，才觉悟和军阀合作之不可能；同时，知道中国的改革，必须是有进一步的改革，并非专谈军事、政治革命所能奏效。梁启超在《大中华》上的创刊词中,即表明这一份觉心。他们着眼在文化运动,北京的《晨报》、上海的《时事新报》,《晨报》的副刊和《时事新报·学灯》,乃成为文化运动的营垒之一。梁氏抛开政治生活,欧游归来,便和丁文江、蒋方震、张君劢、张东荪努力学术研究及社会文化运动,这便开出今日社会民主党的先河。

梁氏一生都跟着时代在前进,虽不曾跑在时代的前面,却也不落在时代的后面。他从欧洲回来,有感于欧洲的文艺复兴运动,也想捐出这面大旗在中国争取领导的地位;可是,他是不主张积极行动的,这领导地位,也就给国民党抓去了。到了晚年,梁氏倒成为纯粹的史学家了。当时,李大钊曾做了一篇描写大家庭生活的小说,这一家有三位少爷同爱着一位侍女,大少爷吃喝嫖赌,无所不为,二少爷是个安分守己的人,想改造家庭而缺少勇气,只有三少爷想脱离家庭实行革命。侍女对大少爷早已厌恶,对二少爷虽有意而嫌其不中用,最后跟着三少爷跑了。他所说的二少爷,即是梁启超。

民国四年,黄远庸去国以前,写信给章士钊,说:"居今论政,不知从何处说起;至根本救济,远意当从提倡新文学入手。"他们这一群人，已经看穿了政治的把戏，不仅厌倦，而且绝望了。他正暗示着一个新文学运动的到来。（黄氏到了美国，以误吞毒剌身亡，已不及见新文学运动了。）

就在那时，远在海外，有几个青年留学生（任鸿隽、梅光迪、杨铨、唐钺和胡适）在绮色佳过夏时常在讨论中国文学的问题。讨论中梅光迪最守旧，绝对不承认中国古文是半死或全死的文字。胡适最激进，提出文学革命的口号，有诗云："梅生梅生毋自鄙，神州文学久枯萎，百年未有健者起。新潮之来不可止，文学革命其时矣！吾辈势不容坐视！"胡适的具体主张，就是要作诗如作文，他认定了中国诗史上的趋势，由唐诗变到宋诗，无甚玄妙，只是作诗更近于作文，更近于说话。到了第二年（一九一六年）胡适和梅光迪之间的辩论，非常激烈；胡适以辩论而起了更进一步的觉悟："一部中国文学史只是一部文学形式（工具）新陈代谢的历史，只是活文学随时起来替代了死文学的历史。文学的生命，全靠能用一时代的活工具来表现一个时代的情感与思想；这就是文学革命。"当时的梅光迪，大概为胡适所说服了，也赞成胡适的主张了。那时，胡适更坚定了自己的主张，写

《沁园春》那首誓词：

> 更不伤春，更不悲秋，以此誓诗。
> 文学革命何疑！
> 且准备搴旗作健儿。
> 要前空千古，下开百世，收他臭腐，还我神奇！
> 为大中华，造新文学，此业吾曹欲让谁！
> 诗材料，有簇新世界，供我驱驰！

这是大时代的气息！

从民五到民八，北洋派内部分裂所引起的国内危机，与日本军阀的大陆政策所显露的侵略野心，我们中国国运已进入最黑暗的阶段。胡适从海外归国之际，有人说：你去国这么久，中国已经变得使你不认识了。他慨然道："中国老是进三步退二步的；她只怕你不认识，一定在走回头路在等着我们呢！"果然，他到了上海，正当南北军阀大杀伐大动乱之际，到处都是一团糟呢！

不过，《新青年》已经于一九一六年春间出版了，这是社会大变动的风信旗。二卷一期，有一篇题名为《青春》的文字，他说："青年之自觉，一在冲决过去历史之网罗,破坏陈旧学说之图圄,勿令僵尸枯骨,束缚现在活泼之我;进而纵现在青春之我,扑杀过去青春之我,促今日青春之我,禅让旧日青春之我。"思想革命的意向,已经显露出来了。其明年一月,胡适就在《新青年》发表了《文学改良刍议》,有名的"八不主义"便是那篇文学的骨干。接着,陈独秀便发表了《文学革命论》,坚决地说:

> 余甘冒全国学究之敌,高张文学革命军大旗,以为吾友胡适之声援:
>
> 旗上大书特书吾革命军三大主义:
>
> 曰,推倒雕琢的、阿谀的贵族文学,建设平易的、抒情的国民文学;
>
> 曰,推倒陈腐的、铺张的古典文学,建设新鲜的、立诚的写实文学;
>
> 曰,推倒迂晦的、艰涩的山林文学,建设明了的、通俗的社会文学。

"文学革命"以喧闹的脚步进入中国文化界;它代表了一般文化人的普通觉悟,想从社会根柢最深处着手革命的工夫了。

二〇　五四运动

差不多有了千百篇文字,写到了"五四运动";每一本中国现代史,留着很多的篇幅在记载"五四运动"。照那事件的发展,可说是很简单的:第一次世界大战以后,日本在东方站起来了,它要独霸亚东,争取领导权;它要宰割中国,完成他们的大陆政策。它知道列强都给战争拖得疲乏了,它要各国在巴黎和会中承认他们手中抓到的赃物。中国的和会代表力争无效,连主持正义的威尔逊都噤口无言。北京政府当局,显然准备屈服了;于是以北京大学为中心的"五四"大游行,野火烧起来了!那些热血满胸、怒情奋生的学生,那天打了曹、陆、章三个亲日的外交当局,烧了赵家楼。这是一场社会运动,这是一件政治的民众运动,这是民众表示自己的意向的行动。

然而，五四运动并不仅是政治性的；它的重大意义，却在文化方面；这是最伟大的文化运动，又是新文学运动的开场，这是现代中国的记程碑，由此进入了新的时代。笔者记得五月二日（民国七年）的下午，杜威博士到了杭州，准备五月五日开始公开的学术讲演，由蒋梦麟博士担任翻译；五四事件发生，蒋博士连夜动身北返，乃由郑晓沧博士代任翻译。从那以后，差不多有一年的长时期，青年学生都在游行示威，罢课罢教，讲演宣传，贴标语，喊口号中过活。

白话文起来了，妇女问题、家庭问题、男女同学问题，也都讨论得十分热闹了。学生治校的倾向，成立了学生自治会，道尔顿制代替了注入式的教学法。这时候，流行了两个剧本，一个是易卜生的《傀儡家庭》（《娜拉》），一个是胡适的《家庭问题》；娜拉的出走，成为新典型的英雄，而一个反抗旧家庭的李超，也在胡适笔下成为新时代的女性。《新青年》杂志也就成为青年的新圣经了。

说到"五四运动"，就必然连带想到《新青年》；陈独秀和胡适，无疑成为文化导师，洪水猛兽的象征人物。其他如钱玄同、刘半农、鲁迅、周作人都是

《新青年》那一战线中的战将。鲁迅说起那时的《新青年》，每出一期就开一次编辑会，商定下一期的稿件。"其时最惹我注意的是陈独秀和胡适之。假如将韬略比作一间仓库罢。独秀先生的是外面竖一面大旗，大书道：'内皆武器，来者小心！'但那门却开着的，里面有几枝枪，几把刀，一目了然，用不着提防。适之先生的是紧紧的关前门，门上粘一条小纸条道：'内无武器，请勿疑虑。'这自然可说是真的，但有些人有时总不免要侧着头想一想。"这就是新文化运动两位主将不同的风格。

当时，一个象征的守旧派的人物，那是王敬轩；这人是刘复（半农）造出来的；但他那封写给《新青年》记者的信，却代表一切守旧派的共同意向。（那封驳王敬轩的复信，出于钱玄同之笔，也是痛快淋漓。）真正代表守旧派来攻击《新青年》的文化革命、文学革命的，那是林琴南；他的信是写给蔡孑民（北大校长蔡元培）的。他攻击"过激之论"，认为救世之道，必度人所能行；补偏之言，必使人以可信，若尽反常轨，不中其度，则未有不弊者。他说《新青年》派叛亲蔑伦，即是"废孔"、"非孝"。（后来加上"公妻"，"共产"为四大罪状。）

他尤其反对白话文,"若尽废古书,行用土话为文字,则都下引车卖浆之徒,所操之语,按之皆有文法,据此,则凡京津之稗贩,均可用为教授矣。"凡是新旧之战,新者常胜,旧者必败,林琴南虽说提了丈八矛枪出来大杀一阵,却经不得几回合,便偃旗息鼓而走了。

在文学革命的营垒,树起了"国语的文学,文学的国语"的大旗,大踏步进入中国的文坛;白话文毕竟取"古文"的地位而代之了。《红楼梦》、《水浒》、《儒林外史》、《三国演义》也就驾桐城文而上,公然进到课室中来了。

"五四运动",由于政治的外交的波澜,乃影响及于文化、文学,这可说是"秀才造反"的本色。可是,由于文化、文学的革命,影响及于政治、社会的革命,现代的"秀才造反",那真不平凡的了。

"五四"以迄国民党改组、中国共产党产生、国家主义派组成这一段时期中,中国有过一个与政治有密切关系的青年团体,便是少年中国学会。据左舜生的追忆:曾琦、王光祈、陈愚生、张梦九、周太玄、李大钊和左先生自己乃是发起的人,后来吸收了东南、金陵及河海工程等大学的优秀青年,先后增加到一〇八人。"少中"的宗旨很简单,"本科学的精神,为社会的活动,以创造少年中国"。他们的信条是"奋斗,实践,坚忍,俭朴"八个大字。到了民国十三年间,他们为了政治观点,引起了激烈的争辩,经过了一年多的辩论,终于"少中"瓦解,会员各行其是,正是后来左右分歧的开头。当时会员中,如恽代英、李大钊、邓中夏、毛泽东、刘仁静、张闻天、沈泽民、黄日葵、侯绍裘、杨贤江,向左转,成为共产党的主将。曾琦、李璜、张梦九、何鲁之、左舜生、余家菊、陈启天、刘慕英,向右转,先是国家主义派,后来变成青年党的主角了。他们分裂时,邓中夏在门外和左舜生握手道:"好,舜生,我们以后在疆场相见吧!"我们想不到他们这一团体的分裂,也就是中国的分裂了呢!

就在那个时期,向右的研究系,以梁启超为首,和向左的国民党,以孙中山为首,争取文化与社会运动的领导权。研究系在北京办了《北京晨报》,在上海办了《时事新报》,晨报副刊和《时事新报》"学灯"领导着新文学运动。国民党在北京办了《京报》,在上海办了《民国日报》,《京报》副刊和《民国日报》"觉悟",也同样争取新文学运动的领导权。有一时期,"学灯"和"觉悟",就代替了《新青年》的地位,等到国民党改组,决定了"容共"、"联俄"的政策,中国的史页,又重新写过一回了!

二一　从洋鬼子到洋大人

　　近三百年间，欧美人之在中国，经历了三个时期："洋鬼子"—"洋大人"—"帝国主义者"；第一个时期最长，足足有了二百年，跟着十九世纪一同终结。（一九〇〇年，义和团事件发生，第二年便是《辛丑和约》产生。）这一笔糊涂账，也是无从算起的了。

　　本来中华民族，并不是不曾见过世面的；魏晋间，南洋群岛的土人，已经到了扬州、南京一带经商；隋唐间，由中亚细亚过来的景教、拜火教教徒，也在长安立寺传教；而唐宋两代的波斯胡，航海而来，在交州、广州、明州（今宁波）、泉州一带正式设肆经商，有的就在中国成家立业；黄巢在广州杀了十万胡人的传说虽不尽可信（见于《马可波罗游记》），但交、广一带，以波斯为中介，和西方发生密切的商业关系,那是最可信的事实。元朝以后,东西的陆上交通,已经畅通无阻;新疆为古代印度、波斯、希腊以东交通之要冲。商人皆自新疆西南行,到了波斯复西行,入于小亚细亚,然后往欧洲去。水路则自欧洲放洋,出地中海,到了埃及,再换船渡红海、阿剌伯海,直达印度,船复东行,过马剌甲海峡,东来安南商港(交州),再东行至广州。(笔者再三提请读者注意,我们缺少一部完整的中亚细亚为中心的世界史,所以若干概念都很模糊。)

(十五世纪中,欧亚二洲间的主要商路,有中、南、北三线。〔甲〕中路系利用底格里斯〔Tigris〕河流域。凡中国、香料群岛、印度所产的货物,由土人用小船辗转运送,船海岸以达波斯湾口,由此转至底格里斯河口,更溯河以至巴格达〔Bagdad〕。其后又由队商运至地中海东北隅之亚勒波〔Aleppo〕与安提阿〔Antioch〕,或者经过沙漠,通往大马士革〔Damscus〕及叙里亚沿岸各埠,有时更由队商绕道而南,通往埃及之开罗与亚历山大城。〔乙〕南路则经红海。阿剌伯人的船舶,每由印度与远东运货渡印度洋而往红海,转由队商自红海运至开罗与亚历山大城。船舶趁得上贸易风的话,由印度航往埃及,需时不过三月。〔丙〕北路，乃由印度与中国之后门以通往黑海之多数路径。由印度与中国运货的队商，均聚集于撒玛尔坎〔Samarkand〕与布哈拉〔Bokhara〕，那两个天山西麓的名城；自布哈拉而西，或往里海之北，经俄境而抵波罗的海，或经窝瓦河口而往亚速夫海〔Ka of Azov〕各埠。其他或绕里海沿岸，经他布里仔〔Tabriz〕与亚美尼亚而往黑海海岸之脱勃必宗〔Trebizona〕，那时意大利人操纵了这一线的商业。)

当欧洲的商业中心，集中在地中海沿岸，由意大利人、埃及人在操纵；欧亚的陆中交通，由波斯人、阿剌伯人来经营的时期，先后一千多年，也算不得短；东来的欧洲人，十三四世纪已经不少，马可波罗便是最著名的一个，那一时期，高鼻子、碧眼珠的朋友，也并不算是怪物。近几十年地下所掘出来的唐代土俑，有的如非洲黑人，有的如欧洲人，有的如印度人，可见那时人所见的西方人，已经很多，并不曾产生"洋鬼子"这一观念。到了十六世纪初，葡萄牙人东来了，接着西班牙、意大利、比利时、法兰西人也到中国来了。利玛窦、庞迪我、汤若望这一群人所带来的基督教义以及天文、地理、算学、兵器的西洋知识，颇受朝野的欢迎；明末清初，他们都曾在北京参与修正历法、制造天文仪器、实测地图的工作,也并未变成了诅咒的对象。

"洋鬼子"这一显明的概念,倒是十八世纪以后的产物,一直弥漫了两个世纪,以义和团的口号与行动为最具体。他们相信高鼻子、碧眼珠的洋人,是吃人血的,用人的"心"熬了油浇成了洋烛,那就可以开矿了,(人心爱财,地下有财宝处,烛光必向下歪斜着。)把人的眼睛挖下来,像咸菜般窨起来,那就可以通电报,拍照相了。他们想象"洋鬼子"是羊转世的,一身羊腥气;只要我们多杀一些羊,洋人就会死绝了。洋人的腿是直的,跪不下来的;眼珠是绿的,白日看不见东西;洋人的炮火是利害的,可是最怕月经带、马桶刷之类,这些话,并非是海外奇谈,而是见之于清廷大员的奏牍,并且见之于行动的。义和团便是带着引魂幡、混天大旗、雷火扇、阴阳瓶、九连环、如意钩、火牌、飞剑八宝法物入京的,就在这样的世界观上,(即洋鬼子论。)造成了我们所身受的国际局势,迫而接受了由这局势所招致的种种后果。

那位十九世纪后期,操纵清廷政权的慈禧太后,她有一回,和臣属闲谈,说:"世界上哪里会有这么多的外国？什么英吉利、法兰西、俄罗斯是有的，其余都是李鸿章造出来，骗骗我们的！什么葡萄牙、西班牙，有牙齿的葡萄，你们看见过没有？"不错，有牙齿的葡萄，是没有的；但葡萄牙却比满洲人进关还要早，早过一个世纪。她真是"洋鬼子时代"政治圈子中的"杰作"，她相信黎山老母、太上老君会把洋鬼子一脚踢出去的。

但是，那一大群中了魔如醉如痴似的群众，他们的说法虽是错误的，他们的想法却并不错误的。这些到东方来的高鼻子、碧眼珠的洋人，虽说和以往的洋人样儿相同，实际上并不相同。这些洋人，虽说不是用人的心肝熬油做蜡烛来照见矿藏，事实上是把我们的矿藏挖了去的。虽说不把我们的眼珠挖了窨腌来，用作发电摄影的工具；事实上是把我们的邮电、交通、内河航线抓到手中去的。虽说并不吃人血的，事实上，却吸取了我们的原料，再把制成品倾销到我们这个大市场来，榨干了我们的经济力的。他们很笼统的思维，以为使得我们穷困，生活失靠，都是由于中国的不太平，不太平都是由于洋人的欺负，修铁路，开矿山，把我们的龙脉挖断了，地藏的宝气泄漏了；所以使得我们一天穷困一天；我们要想免除这种穷困，非把一切洋人驱逐出去不可。但是看见洋人的兵舰枪炮都着实利害，于是想到《封神》、《西游》在戏台上，所表现的神通法力，必是有几分可靠的，起初由少数的奸猾者借以哄骗多数，渐至彼此互相哄骗，久而久之，大家自己哄骗自己。这便是所谓群众的心理，由生活的不安，演为借神力的排外。那便是著名的一九〇〇年的义和团事件的上演。

　　排洋思想，事实上也不仅仅在群众中流行，即当时的士大夫，也人同此心，心同此理。中国的士大夫，走着儒家正统派思路的，如董仲舒一流人，都带着阴阳五行的神秘色彩，和道教呼风唤雨、捉妖降魔那一套合得拢来的。清末湖南有一位博学的怪儒叶德辉，他写信与皮鹿门说："亚洲居地球之东南，中国居东南之中，无中外独无东西乎？四时之序先春夏，五行之位首东南，此中西人士所共明，非中国以人为外也。五色黄属土，土居中央，西人辨中人为黄种，是天地开辟之初，隐与中人以中位。西人笑中国自大，何不以此理晓之。"义和团的"坎字拳"、"乾字拳"等等，与这种"五行之位首东南"、"五色黄属土"思想渊源上原是一贯的。那位以汉军翰林至大学士的理学家徐桐，听到拳团到了京师，大喜道："中国自此强矣!"杀"洋鬼子"的悲喜剧,就这么开头,也就这么结束了。

　　士大夫群中之又一部分,就在"洋人"势力向中国侵入的漫漫长夜期中,看到了另外的一面。那位为了处理鸦片战争事件得了罪,远戍新疆的林则徐,他眼睛闪亮,看懂了中国所以失败的主要原因,在兵不精、器不良;他从西行途中,写信给他的朋友揭出这一要点,要大家不可再梦梦于精神文明可以抵抗物质文明的幻想;他的部属魏默深(《海国图志》的编译者),更懂得这个最切实的道理。(当时,澳门报纸嘲笑中国之武备,"普天之下,为至软弱极不中用之武备;及其所行为之事,亦如纸上说谎而已。其所出之论,亦皆是恐吓之语。其国中之兵,说是七十万之众,若有事之时,未必一千合用,余皆下等聚集之辈"。纸糊的老虎已经拆穿了!)这样便开出十九世纪后期,以曾国藩、李鸿章为中心的洋务运动(坚甲利兵论派),一八六三年(同治二年)四月,李氏写信给曾国藩说:"外国用兵,口粮贵而人数少,至多一万人即当大敌;中国用兵多至数倍,而经年积岁,不收功效,实由于枪炮窳滥。若果能与西洋火器相垺,平中国有余,敌外国亦无不足。"又说:"洋务最难措手,终无办法;惟望速平贼氛,讲求洋器。中国但有开花大炮、轮船两样,西人即可敛手。"一八六六年连串的洋务纪录:造船,制械,筑军港,设电报局、招商局、织布局、矿务局,派选留学生赴美留学,派武人往德国学习小陆军械技艺,这是第一步觉悟,知道我不如人,"转危为安,转弱为强之道,全由于仿习机器"。

到伦敦去当外交重任的郭嵩焘,他看得更深远一步,更透彻一点;他知道"兵者末也,各种创制皆立国之本也"。"日本在英国学习技艺者一百余人,而学兵法者绝少。……欲令出洋之官学生,改习相度煤铁炼冶诸法及兴修铁道电学以求实用"。他所指出坚甲利兵并不足以代表外国的长处,"殚千金之技以学屠龙,技成无所用之"。甲午一战,败得那么惨,就把兴洋务以来一切努力都付之东流了。这样,才开始了第二步觉悟,知道我不如人,不仅在于甲之坚,兵之不利,而且在于政治组织的不健全。康有为、梁启超的维新运动,和孙中山、章太炎的同盟会革命运动,便代表了这第二步的觉悟,着手政治的逐步改造与彻底改革的工作。

到了辛亥革命成功以后,大家又有进一步的觉悟，知道我之不如人，也不仅由于政治组织不如人，而在于社会组织的不健全，以及建筑在这一基础上的教育、文化、艺术各方面的"落后"。这便是五四运动以后的社会文化运动，进而走上社会革命的阶段。中间插上了"全盘西化"、"局部西化"、"中国本位"的种种看法与行动，这第三步所跨的步是很大的！

这种"我不如人"的心理，把以往"民族自尊"的偏见纠正过来了，却又歪到"民族自卑"的牛角尖里去了，中国士大夫群之又一部分，喝了啤酒，吃了大菜，觉得什么都是"洋大人"的好，连着"巴掌的重量"与"天上的月亮"。这一"洋大人"的时间，从十九世纪后半期开起，有的地方，直到今天，还是继续着。

二二　大时代的脉搏

袁世凯死后，北洋派分崩离析；段祺瑞隐然成为一时的中心，立即引起冯国璋派的离心，直皖两派的斗争，就把北洋派分裂为两个核心。由此核心再演变下去，乃有奉直之争、奉皖之争；到了后来，曹锟系下的吴佩孚、冯玉祥也各自为政，自成为一系。西南方面，云贵与四川之争、桂粤之争，四川内部的几百次内战，演成刘湘、刘文辉的一家的战斗。至于国民党内部孙中山与陈炯明之争，国共两党之争，一直就用"内战"二字写完了中华民国的历史。

以南北军阀内讧为骨子，反映在政治上，乃有复辟运动、护法运动、联省自治运动；而以民国十五年的国民革命军的北伐为一阶段。串在这一段大动荡时期中，外来的势力，乃是最重要的因素，几乎每一次内战，其幕后都有着日本或其他国家的助力存在着。

而日本的侵略计划，分裂中国的阴谋，更助长了中国内部的变乱。（梁启超、蔡锷的反帝制运动，即得日本的助力；而段祺瑞的政权，即由日本军阀在支持。）一九一二年明治天皇去世，一九一四年欧战发生。日本政治家大隈重信说："优胜之国，常统治劣弱之国；鄙人深信二三百年之内，世界上将有治人之数大国，其余皆受治于各该大国，服从其权力。如英、俄、德、法，皆可为治人之国也。自今伊始，日本应预备成为治人之国。"这就开始他们的大陆政策了。

日本的大陆政策，"欲征服中国，必先征服满蒙；欲征服世界，必先征服中国"。其见之于事实，乃有"五七"的二十一条件的要求，乃有"九一八"的沈阳事变，乃有"七七"与"八一三"的全面战争；一部现代中国史，几乎可以说是抗日图存的历史呢！

梁漱溟先生，有一次在朝会中和学生们说："八十年来，中国这老社会为新环境所刺激压迫，而落于不幸的命运，民族自救运动一起再起，都一次一次的先后失败了。每一次都曾引动大家的热心渴望，都曾涨到一时的高潮；但而今这高潮都没落了，更看不见一个有力量的潮流，可以维系多数的人心，而却是到处充满了灰心、丧气、失望、绝望。"他所说的，是实话。这种失望的情绪，可以说是弥漫于一般智识分子群中。十多年前，李剑农先生（他也是《甲寅》的一分子），写了一部《近三十年来中国政治史》，最后他以沮丧语调说了类似的话。他在结论中，说了一件故事，那是他坐长江轮船往汉口所见的一件事实。长江轮船的铺位是固定的，可是每一只轮船所雇用的茶房，比铺位多得多；而且，名为是雇用，谁也没有工资可得，还得先付一笔保证金的（即按柜）。这么一来，吃亏的当然是旅客，他们尽可能在欺负客人，剥削客人，以至于无恶不作了。这是中国官僚场的缩影，所谓"人浮于事"、"人情主义"，正是官僚政治必然产生的后果。

中国自西汉以来，一直便是儒家所建立的"官僚政治"与"绅士政治"，上则皇帝，下则老百姓，政治正落在官僚与绅士手中，一切政策，一切主义，到了他们手中，立刻变了质，那是无可挽救的。民族自救运动所以终于失败，便是这个原故。吴稚晖先生有一回，论官僚的积痼不除，则温和主义派的黄芪党参汤不中用，到了结果，非让革命家来一帖巴豆大黄汤不可，这就演进入于社会革命大时代了！

我们都是卷在狂风暴雨大时代中了。

梁启超从欧洲回国，他就跟他的友生们介绍文艺复兴运动；蒋百里编《欧洲文艺复兴史》，梁氏也就说清代的三百年的经学，便是东方的文艺复兴运动。而世人谈现代启蒙运动，也拟之于文艺复兴运动。文艺复兴运动者，乃是人性的自觉运动，李鸿章所说的《三千年来未有之变局》，有如高山滚石，越滚越急，要转出一个真正的大时代来了。

梁氏曾于《清代学术概论》（原为《欧洲文艺复兴史》序文）引论中，说到时代思潮的演进。"凡时代思潮，无不由继续的群众运动而成。所谓运动者，非必有意识，有计划，有组织；不能分为谁主动谁被动。其参加运动之人员，每各不相谋，各不相知；其从事运动时所任之职役，各各不同；所采之手段亦互异，同于一运动之下，往往分无数小支派，甚且相嫉视，相排击。虽然，其中必有一种或数数种种共通观念焉，同根据之为思想之出发点；此种观念之势力，初时本甚微弱，愈运动，则愈扩大，久之，则成为一种权威，若此，今之译语，谓之流行，古之成语，则曰风气；风气者，一时的信仰也；人鲜敢撄之，亦不乐撄之，其性质几比宗教矣。一思潮播为风气，则其成熟之时也。"这可以说是对于五四运动最好的注解。

（"启蒙期者，对于旧思潮初起反动之期也；旧思潮经全盛之后，如果之极熟而致烂，如血之凝固而成淤，则反动不得不起；反动者，凡以求建设新思潮也；然建设必先之以破坏，故此期之重要人物，其精力皆用于破坏，而建设盖有未遑。"所以五四运动的一连串口号，文学革命、文化革命、家庭革命、妇女革命，都是破坏方面的能事。那么，闹哄哄的场面，正是革命的场面呢！）

这场大革命的主要目标是什么呢？陈独秀就在《新青年》的两大罪状中说：一个是"赛因斯"（科学），一个是"德莫克勒西"（民主）！"欧化"的旗帜，已经很鲜明了！

什么叫做"革命"？要说得简单明了，那也不容易。俄国有一个思想家，曾经做过答案。他说："好人，坏人，不好不坏的人，死了一大堆，这就是革命。"事实上，也正是如此。"革命"，大概是免不了要流血的；昨天，送别人上断头台的人，到了明天，又被别人送上断头台去，这样的例子，史不绝书，那位法国大革命时期，一手造成大恐怖时代的罗伯斯庇尔，到了结果，他自己也被送上断头台去的。

"法国大革命"，乃是一个被诅咒与被赞颂的大课题；不过当卢梭《民约论》、孟德斯鸠《法意》在法国贵族的客厅里流转的时候，他们并没想到烧到身上来的火是烫人的；直到上断头台那一时刻，恍然大悟，已经来不及了。连那位有名的罗兰夫人，也是到上断头台去的途中，才说："自由，自由，天下之罪恶，借汝之名以行。"其中，只有一位百科全书派的大师，康道塞，也是倡导革命的先知，他是法国大革命初期的行动者，到了大恐怖时代，他也被拘囚，送上断头台去的。他在临死的前夕，遗言告国人，虽说他个人是在革命过程中牺牲了，他依旧相信社会是进步的。他是愿意如耶稣那样为人类的得救而钉上十字架去的。

《韩非子》曾经有过一个譬喻：一个癞痢的孩子，他非剃头不可了；剃头的时候，这孩子一定要哭呀叫呀，闹个不休的！难道就因为他要叫要闹，就不剃头了吗？大时代是在一般人所期待、所厌恶的当儿到来了！革命并不是一场浪漫的梦，得付出可怕的血的账的！在血的面前，我们战栗着！然而大时代毕竟拖着沉重的脚步到来了呢！